S P R I N G

每一本好書都是一顆種子，
春天播種在你的心田夢土上。

Spring

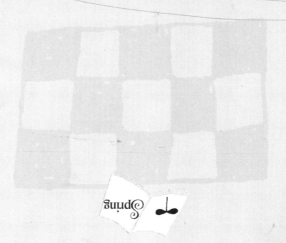

S P R I N G

每一本好書都是一顆種子，
春天播種在你的心田夢土上。

S P R I N G

每一本好書都是一顆種子，
春天播種在你的心田夢土上。

Spring

S P R I N G

每一本好書都是一顆種子，
春天播種在你的心田夢土上。

Spring

遺憾，
擱淺了
未滿的愛情

Time Tunnel

販賣愛情與肉體之後，
商人開始販賣記憶，
在這家名喚愛情的酒店裡，
買不到酒精，買不到肉體，
只買得到擱淺在過去裡的　愛。情。未。滿。
如果，可以選擇的話，那麼，我想重新遇見的，是哪年的哪個我們？

推薦序

我是從《於是，上帝派來天使》開始認識Di Fer的文字，在只閱讀小說、並不知道作者的情況之下，我先入為主的認為這是來自於國外的翻譯小說，我感到驚豔、且溫暖，直覺想到『把愛傳出去』這部電影。

溫暖

然而，當知道作者原來是台灣人、而且年紀和我相當，心裡的感覺是既羨又妒，尤其有次回家，看見姐姐的床頭就擺著那本《於是，上帝派來天使》時，心底還頗不是滋味的嘀咕著：什麼嘛！自已妹妹寫的小說不捧場就算了，居然還跑去給我買別人家的小說，簡直胳臂往外彎嘛！臭女人……

因為工作的關係，於是得以搶先拜讀《遺憾，擱淺了未滿的愛情》，在開始閱讀時，

遺憾，
擱淺了未滿的愛情

忍不住也停下來問了自己這個問題：如果，有天，我也走進了『愛情酒店』，那麼，出現的，會是哪年的哪個我們？又，如果，可以選擇的話，那麼，我想重新遇見的，是哪年的哪個我們？

「每個錯過了說『我愛你』的那個我們。」

結果在閱讀完畢之後，我這麼回答自己。

橘子

目錄 | Contents

楔子

關於那些我們共同的回憶，
湛藍的天空，沁涼的海水，午後的微風，微醺的思念，和那熟悉的擁抱。

我天真的想著，如果說，
人每心碎一次，就多成長了一點，
那麼，有沒有可能，不要成長，不要心碎？

更正確一點地說，我其實是這麼希望的：
那個很愛很愛我的人，能遇到一個很愛很愛他的人；
那個我很愛很愛的人，能找到一個他很愛很愛的人；
至於我自己，相信有那麼一天，將會遇到我很愛很愛他；而他也很愛很愛我的人。

只是這樣一個簡單的想法。

S・W

About Time Tunnel

這是一家沒有招牌的愛情酒店，但來過的人都知道，酒店的名字叫做「時光隧道」。

人們在來到酒店之前，常會對這樣的名字感到一股輕諷，以為不過是商人想要引人注目的噱頭而已。但踏出酒店之後，從來沒有一個人懷疑酒店為什麼會取這個名字。

這家愛情酒店位在日本東京，在這個以色情產業為傲的國家裡，當純粹肉體的歡愉與折磨技巧已經山窮水盡之後，終於有人開始思考，現在人需要的是否不再只是一時的感官刺激，而是一些雋永的、精神的、卻又帶點現實中無法滿足的遺憾？

於是在販賣肉體與愛情之後，商人開始販賣記憶。

什麼樣的記憶？

悲傷的記憶。

因為人們總是很輕易就遺忘或忽略了快樂的記憶，他們在活著的時候，只會緬懷著那些曾經得不到、那些曾經埋下深深遺憾與往事的記憶。

悲傷的記憶，不一定會讓人覺得痛苦；快樂的回憶，也不一定就真的會讓人覺得快樂。因為悲傷的記憶能讓他們更珍惜現實，又或許，只是他們放不下，便任由它一直這麼悲傷，保持著一份神祕又失落的美感；而快樂的回憶，卻往往只是更讓他們感嘆，為何今不如昔？有人能在憶起快樂往事的時候真正露出會心的微笑嗎？

也許會，但那一定是在很久、很久以後吧。

因為它不夠深刻、不夠傷人。它在你心中如同糖果一樣甜美，但是甜味卻並不是最能禁久的滋味。人們總是記得第一次初嚐苦味而落下的心痛淚水——鹹的，淡淡的鹹，卻讓你刻骨銘心，永遠記住那個滋味。

悲劇一直是古代希臘戲劇傳統。

希臘人相信悲劇能洗滌人的靈魂，那隨著劇中人物情境而落的眼淚，洗去了自己靈魂的污穢，讓人性變得更洗鍊並接近完美。

因為有悲傷，你才會開始沉思。

然後找到自己的傷口，再次去檢視自己當年受傷的原因。

儘管那傷口可能很恐怖，或是從沒癒合過，仍舊流著哀痛的血水，但至少，這次它終於被注意到了，並將會得到一個被治癒的機會。

被清靜的淚水洗滌乾淨，然後痊癒。

似水年華

Room A19

A1

長瀨奈津子，二十五歲，科技電子公司職員。

剛下了班的奈津子，拖著疲憊的身軀與有些複雜的心情，在徘徊了一會兒之後，終於決定走進這間酒店裡。

這是高中同學介紹她來的，一開始她聽到昂貴的使用費時，壓根就沒有想要來一探究竟的念頭，但今天不知道為什麼，她突然特別想念那個人。

昨天才剛發了薪水，如果這個月省一點的話……或是不夠的話，再向加奈子借一點，頂多就是少看幾次電影、少逛幾次街、少買幾件衣服……應該沒問題吧？

還在猶豫著要不要花上這筆錢的時候，陰暗的天空突然飄起了細雨。

因為空氣污染，雨絲落在臉上有些黏意。

米色的大衣上漸漸被雨絲暈染，好似變得沉重起來。

奈津子仰頭往上望著天空，瞧見雨絲像是線一樣，一根一根落下來。

水聲。

耳際似乎聽到了潺潺水聲。

那不是河流流動的聲音，而是在一個很大很大的游泳池裡，蓄滿了水，只有靜靜坐在池旁，閉上眼，才能聽到那似乎靜止不動的水在緩緩流動的聲音。

奈津子張開眼睛，走進了酒店裡。

櫃台處並沒有人。

這其實很正常，一般給人短暫休息用的酒店，尤其是為情侶準備的愛情酒店，為了怕開房間的客人感到不自在，通常都不會有人守在櫃台，只在入口處放上一台類似販賣機的機器，上頭有著許多按鈕，每個按鈕旁還附有一張小照片，大致說明每個房間裡的模樣與陳設，任君選擇自己喜歡的房間，接著投幣、按鈕，鑰匙就會自動掉出來，只要退房時記得把鑰匙放回櫃台就可以了。

但是這間酒店裡的「房間販賣機」卻只有一個按鈕，按鈕附近沒有任何說明的小照片或是圖片，只有一個貼著價錢的小標籤。

上面寫著：「日幣十萬。」

嘖，真的好貴。

奈津子咬咬牙，心裡還在掙扎著。

恍惚間，耳邊似乎又傳來了熟悉的水聲。

她的心思愣了一下，眼前突然出現一大片燦爛的夕陽，落映在無人的游泳池旁。

等到她回過神來的時候，手裡已經拿著一把鑰匙。

「哎呀……真的買了呢……」

狀似懊惱地說著，心裡卻同時有一種如釋重負的感覺。

鑰匙上面的號碼是A19，既然是A開頭的，那應該是在一樓吧？

披著被雨水浸溼些許的米色大衣，奈津子慢慢走在空蕩蕩的走廊上，走到盡頭的時候，她發現了自己要找的房間。

有些狐疑地將鑰匙插入門鎖裡，門打開了。

她輕呼一聲。

「這怎麼可能……真令人不敢相信……」

喃喃地用著不可思議的語調唸著，她一面走了進去。

房間裡的景色和她想像的完全不同，卻又曾經是那麼熟悉。

確切來說，那樣的景色不可能會出現在一個「房間」裡的。

房間裡有一座二十五公尺寬的游泳池，不知道是用了什麼高級的投影設備，讓游泳池看起來就像在室外一樣，粗糙的墨綠色防滑地毯，泳池旁延伸上去的一排排座位，拉高的牆上還有著搖搖欲墜的窗戶。更遠處，是一片橘紅色的夕陽，餘暉將盡的燦爛光芒落映在水池裡，隨著池水的波動搖搖晃晃。

奈津子張大了嘴看著這一切，這……不就是她高中學校裡的游泳池嗎？

這樣的擺設、那樣的夕陽，鼻尖裡甚至能嗅進淡淡的消毒水氯味。

「這真的太神奇了……」

脫去了高跟鞋與絲襪，她赤著腳走在防滑地毯上，連那有些刺刺的感覺都如此真實。

這家酒店為什麼會知道她心裡最思念的一處地方？

再次如釋重負地嘆了口氣，她不知不覺走到了從前最喜歡的位置，泳池左邊靠近中間的地方，將腳伸進冰涼的池水裡，攪亂了原本就隨著水波晃蕩的殘破夕陽影子。

青木。

就那麼不由自主地，她想起了那個人。

嘆了一口氣，她閉上眼。

為什麼在她為戀愛傷神，或是剛結束一段戀情的時候，總是會想到青木呢？

也許是因為在以前，在那個他們還在這樣的游泳池度過的日子裡，她是很愛很愛他的。

最初的，雖然不是最完美的，但總是最令人緬懷。

也許是這樣吧。

奈津子慢慢將身子往後倒，仰躺在地上，看著天上被染成橘紅色的捲積雲。

然後她慢慢閉上了雙眼。

她又聽見了水聲。

他們的年輕歲月如同似水年華，緩緩流過，稍一不注意就漏聽了那悄悄流逝的水聲。

再也不能回頭。

那一年，奈津子十五歲，剛上高中一年級。

加入學校游泳隊之後，很多學長都喜歡她，但最後她選擇和青木在一起。

從一開始，她眼裡就只有青木。

她一直記得青木有一雙很好看的手，修長、白皙，比身為女孩子的她的手，還要細緻好看。

她喜歡他的手，喜歡那樣的手，牽著自己的感覺。

她那時候很天真地以為，以後，就那樣一直在一起吧！

上大學、工作、結婚。

青木告訴他，將來他父親會把公司交給他，他也許會從經理做起，然後接下父親的棒子，就這樣安安穩穩過一輩子。

她靜靜地聽著，對他微笑。

她以為，人生就是可以這麼簡單，遇上了一個喜歡的男生，然後一起度過。

高二的時候，游泳隊要集訓，因為青木家住得遠，乾脆就住在教練房裡，奈津子每天早上會去叫他起床，再一起去集訓。

但是一個星期裡面，他們兩個常常會一起缺席三、四天，泡在教練房裡談情說愛。

那時候青木已經上了高三，要準備大學考試。他每天早上都會有複習考，奈津子常常替他帶早餐，然後在他吃早餐的時候，一面拿起他的課本，幫他複習。

青木的手很漂亮，她常常著迷地看著他的手，捧著歷史課本，白皙如女人的手指慢慢翻過一頁又一頁，偶爾他會抬起頭對她笑笑，然後問她：「妳在看什麼？小傻瓜？」

看你啊。

她在心裡說著，嘴上卻從來沒說口，只是依舊看著他微笑。

如果可以這樣一輩子，多好？

幸福是不會持久的，就像這個世界上的所有事情一樣。

當人沉浸在幸福的時候，總是很少去想到，當幸福結束的時候怎麼辦？

花開的時候很美，但花謝的時候呢？

你可以接受那枯槁無生命的花瓣不再美麗與充滿生氣嗎？

青木很受女孩子歡迎，加上他心地善良又長得俊俏，總是有許多女孩子圍繞在他身邊。雖然那些女孩子或多或少知道奈津子的存在，但是她們並不在乎。

年紀輕的孩子，尤其是女孩子，根本不會在意這種事情。

誰和誰在一起，不過是一時的現象而已，只要喜歡，對方也有意，什麼事情都是有可能的。

奈津子和青木的爭執漸漸多起來。

這是她的初戀，她也不知道該怎麼處理自己見到青木與其他女孩子在一起時的強烈妒意，她氣得想哭，心痛得不知如何是好，卻找不到方式宣洩自己的情緒，最後她只有不斷與青木冷戰。

她到現在都記得，自己是在哪一天終於下定了決心，從此要脫離這種痛苦的嫉妒。

那一天天氣很熱。

一個週末的下午，游泳隊的成員練完游泳之後，大家一起相約去吃冰。

奈津子那時候和青木又在小小的冷戰，起因是什麼，她現在已經不記得了，她只記得到冰室的路上，青木和她都刻意和對方保持著距離，她拉著同學西川，一路上有說有聊，故意裝得十分歡快，同時也觀察到青木的臉色似乎越來越不耐煩。

到了冰室，青木也故意拉著一個學妹，兩人親暱地坐在一起說笑，這下換奈津子不安起來。

她叫了紅豆冰，即使旁邊的西川不斷對著她說話，她卻一個字也聽不進去，眼裡看的都是青木和學妹之間親密的互動。

應該是她要坐在青木身邊才對的啊……

為什麼會這樣……

胸口的嫉妒突然間湧化成濃濃的委屈，她一口紅豆冰卡在喉嚨裡，怎麼吞也吞不下去。

為什麼談戀愛要這麼痛苦？

為什麼他不再像以前那樣體貼、把自己放在心中的第一位？

以前他們一塊出來的時候，青木總會走在她身邊，雖然礙於大家的眼光，他們不會手牽手，但那種不言而喻的親密與眉目傳情，自然便顯示出他們兩個人是一對。

可是現在呢？

兩個人越來越遠，各自找著新對象引開自己的注意力，她甚至已經沮喪到不知道青木到底只是藉著學妹在氣自己，還是他真的已經移情別戀，愛上了學妹？

紅豆冰還沒吃完，她就先匆匆離去了。

離開冰室前，她特意又看了一眼青木與學妹坐著的方向。

他沒有看她。

沒有。

他依舊在和學妹笑著說話，沒有看過她一眼。

那是第一次奈津子因為戀愛而哭泣。

她一個人走在路面火燙的大馬路上，眼淚不聽話地掉下來。

她可以聽到自己心臟跳動的聲音，一下一下，那麼強烈，那麼痛楚。

好痛，真的好痛。

為什麼戀愛是一件這麼痛苦的事情？

如果她從此以後，再也不要碰這個東西了，是不是就不會這麼痛苦呢？

如果她下定決心，再也不要理會青木、再也不要愛著他，自己是不是就會好過很多？

是吧？是這樣吧？

那麼，就讓她不要再愛青木、不要再受這種折磨了，好嗎？

整整兩個月，她都沒有再理過青木。

青木也終於慌了，好幾次他都想試圖與奈津子說說話，但鐵了心的她就是決定不理他。

兩個人都是硬脾氣，青木碰久了釘子，也漸漸沒了耐心，最後也放棄了，不再刻意尋找與奈津子道歉的機會。

奈津子升上高二的那年暑假，青木回愛知縣的老家去了。

他託西川帶一句話給奈津子——

「我很想念妳。」

聽到那句話的時候，她的心裡突然有什麼鬆動了一下。

原本她已經決定要徹底遺忘青木的，而她相信自己也幾乎真的要做到了。

這兩個月裡，她和其他學長處得不錯，幾個同學也常常相約去看電影或是一起去聯誼健行。年輕原來這麼美好，還有這麼多事可以做、也還有那麼多考試要分神，她真的可以不用去把戀愛和那個男人，當成唯一的全部。

「我很想念妳。」

可是青木這樣說。

其實……我是不是也很想你呢？

奈津子坐在游泳池的跳水台上，西川站在游泳池裡，他說完這句話，蛙鏡一戴，轉身游走了。

奈津子低頭看著映著藍天的池水，心裡恍惚起來。

你真的在想我嗎？

想我這個脾氣又壞、長相又不可愛、只會一天到晚莫名其妙亂吃醋的學妹嗎？

這是愛嗎？

心口那種疼痛的感覺又湧了上來，只是這次的感覺不太一樣。

那不是因為嫉妒而生，而是因為一絲絲的心疼與不捨。

她是不是做錯了什麼決定？

她是不是真的誤會了青木？

嘩啦一聲，旁邊有人跳入了泳池裡。

她回過神來，看著那濺起的水花與人影。

那天自己一個人在大馬路上哭泣的景象又浮現腦海。

如果就這樣回頭了，是不是以後還是會發生這種事情？

「奈津子，今天要不要下水？」

已經換好泳裝的麻美突然問她。

「啊，喔，好啊。」

奈津子離開泳池邊走到更衣室，沒有再去想這個問題。

A2

後來奈津子聽說青木學會了抽菸。

她嚇了一跳，一直以來，青木在自己心目中都是陽光開朗的好男孩，怎麼會和蹲在教室角落抽菸的流氓學生模樣扯在一起？

她問西川：「青木抽菸？真的假的？什麼時候的事情？」

西川回望著她：「妳……真的不知道？還是在裝傻？」

「知道什麼？」

「男人抽菸是為了什麼？就是因為煩啊。青木他現在煩的是什麼？」

「……考不上大學？」

西川翻了翻白眼，一臉「妳真是無可救藥」的神情。

在西川轉身要離去的時候，奈津子喊住了他：「西川，你……你幫我告訴他，少抽點菸好嗎？這對他的身體不好。」

西川聳聳肩，表示自己聽到了。

奈津子已經高二了，追她的人越來越多，雖然她一時還不想談戀愛，因為和青木的那一段感情，讓她很害怕再去陷入同樣的困境與掙扎，她已經明瞭到，愛情不光是只有美好的一面，而她現在還太年輕，沒有辦法去好好妥善處理那不完美的一面。

和青木同屆的學長河原雖然同樣也是高三，卻突然開始猛追奈津子，常約她出去，或是中午翻牆出去到校外的便利商店買冰棒給她吃。

但是奈津子對他真的沒有感覺，只把他當成一個很好的學長，像是哥哥一樣的人物。

後來河原也死心了，乖乖回去讀書，準備考大學。

有時候，奈津子會想，如果青木知道了河原追自己的事情，會有什麼感想？

他是不是已經完全放棄自己了？

如果真的還在乎她的話，為什麼知道這件事，卻不聞不問呢？

青木一定會知道的吧？

而她……是不是在期盼什麼呢？

高二上學期要結束前，奈津子有天下課後，到手語社去找同學。

手語社的對面大樓就是高三教室，同學進到社團辦公室裡收拾東西，奈津子在外頭等著。

已經是黃昏了，美麗的夕陽從兩棟大樓中間的空隙照射進來，落在三樓的走廊上。一個又一個的人影走過，拖著長長的灰色影子。

奈津子上半身趴在走廊的欄杆上，望著遠方的操場發著愣。

空氣中有一種淡淡的什麼氣氛，竟讓她有些感傷起來。

「奈津子！走了！」

同學的叫喚讓她回過神來，她回了一聲，正要轉過身的時候，眼角餘光見到對面大樓的二樓走廊上似乎有個熟悉的身影，也正倚在欄杆上。

她定定神，想瞧清楚，但那個人影已經立起了身，慢慢離去。

是青木。

青木胖了，一個人的背影顯得很落寞。

奈津子突然覺得心口像是被什麼東西塞住了，整個胸腔悶悶的，什麼話都說不出來。

然後眼睛熱了起來。

是青木。

他剛剛一直在那兒看著她。

他是用什麼樣的心情在看著她呢？

他知道河原追她的事情嗎？知道有許多學長喜歡她嗎？

他知道了，有什麼反應？

為什麼他就只是那樣靜靜地站在那兒，看著她，卻沒有任何表示？

是他已經不再愛她了嗎？

如果已經不愛，為什麼他的背影卻又寂寞得那麼讓人心疼？

到底，什麼是愛？

這種不捨與心疼，落寞與淚水，是不是也是屬於愛情的一部份，沒有辦法不要？

「奈津子？」同學又喊。

奈津子扭過頭，咬咬牙，決定不再去想那個背影。

但那個在落日下的孤獨背影，卻從此烙在她的心裡。

「真是的……他那時候真的那麼愛我嗎……」喃喃自語著，奈津子看著蔚藍天空飄過去的一朵白雲。

這個房間雖然不可思議，卻讓她覺得寂寞。

靜悄悄的，只有偶爾的風聲與水聲——雖然她到現在還不知道，這唯妙唯肖的戶外感覺到底是怎麼弄出來的？

該不會是有人暗中催眠了她？

還是有什麼腦波控制器之類的東西，能讓人見到自己最想見到的事物？

真想跳進池水裡看看。

奈津子突然噗嗤笑了起來。

以前那些游泳隊的男生總喜歡惡作劇，趁著學長去游泳的時候，那些臭男生會把學長的內褲藏起來，或是冰到冰箱的冷凍庫裡去，學長游完泳之後見到自己被冰得「堅硬」的內褲，都只有苦笑的份。不然就是把男生的內褲丟到泳池裡，然後要學妹去撈起來。

青木也常常被這樣惡整。

她記得有一次青木才游完泳，正準備去更衣室換衣服，沒多久他又下半身圍著條大毛巾跑出來到處找自己的內褲。幾個學弟又叫又跳而過，隨手把他的內褲往泳池內一扔。

可憐的內褲在池水裡飄著，青木一面要拉著大毛巾遮住自己的下半身以免穿幫，一面蹲在游泳池邊拼命伸長了手，想要撈回自己的內褲。

這時候不知道誰從他身後走了過去，賞了他一腳，他整個人便噗通一聲掉進泳池裡。

奈津子和同學們在池邊笑得開心，一面卻也悄悄擔心，這玩笑會不會開得太過火了一點？青木會不會生氣？

年輕的面容從水下浮現，青木的頭髮都溼了，臉上卻依舊在笑著，笑得那麼開懷，那麼心無芥蒂。

他真的一點都不生氣。

奈津子就是在那一刻認真地想，這樣好脾氣的男人應該很適合做老公吧？

青木找到了內褲，在池水裡有些笨拙地走到岸邊，他對著奈津子一笑：「學妹，介不介意迴避一下？我的毛巾好像不見了。」

那時候他們還沒有正式在一起，青木還是喚她「學妹」，她也喚他「學長」。

後來，青木畢業了。

大學是完全不一樣的一個世界，他很快就忘了奈津子的存在。

也許是吧……在奈津子聽到他換了一個又一個的女朋友，甚至連系上的女助教都成了他的女人之後，她覺得心裡一直在期盼的什麼東西，就那麼活活被掐死了。

原來不過是這樣。

原來只要見到了更好的，都會先吃了再說。

學妹？初戀？美好的高中記憶？

在大一新鮮人的眼裡早已經被紛亂的美麗花花世界給取代，逛不完的社團，參加不完的迎新，看不完的美女，翹不完的課，誰還想去記得那段慘澹的落寞歲月？

人生就是要把握當下。

有時候青木也會回到母校來，和學弟妹聊聊天，吃個飯，奈津子總是會刻意迴避有他出現的場合。

然後，奈津子自己也畢業了，也一腳踏入了那美麗繁華的大學生活裡，新的環境、新的同學、新的追求者，於是她很快也忘記了關於青木這個人的一切。

直到有一天，她不經意地接到了青木的電話。

當她聽到那熟悉的聲音時，幾乎不敢相信自己的耳朵。

「嗨。」青木的聲音依舊爽朗好聽，一點都沒變。

「……」

「怎麼了？我是青木啊？不認識我了嗎？」

「啊，學長。」

她不知道自己的腦袋是怎麼命令自己的嘴巴說話的，只知道當時自己的意識瞬間一片空白，「學長」這兩個字就脫口叫了出來。

事後她也很疑惑，她怎麼沒有直接摔電話？

畢竟這是一個她「恨」了那麼久的男人。

然後她又愣住了。

「恨」？她為什麼要去「恨」？

恨青木不再關心自己了？

恨他不斷交新女友，然後帶回來到處招搖？

還是……為了一些連自己都無法解開釐清的心結？

「好久沒連絡了。」青木的聲音似乎有些遲疑。

「嗯，是啊。」奈津子回了一聲，「你好嗎？」聲音，變得有些歡快起來。

不管過去發生了什麼事情，至少，他還是記得她的，不然為什麼要打這通電話？

電話那頭的青木突然笑了起來。

「笑什麼啊？」她有些埋怨地問。

「我剛剛好害怕妳會直接把我電話掛了呢。」

「哼哼，的確是很想。」

「妳是我那些前女友之中，唯一不會掛我電話的。」

奈津子的心一動。

「前女友」？

這麼說，在高中的那一段戀情，並不完全只是她自己的一廂情願，也並不是只有她，把這份感情當真著、認真著，作為自己曾經擁有過的一部份。

他們倆個的確曾經共同擁有過什麼。

所有的怨懟與不滿在那一刻完全釋懷，她突然很感謝他打了這個電話。

那一天，在那睽違已久的再次交談中，他們談了很多很多，不過大部分都是她在聽青木交代他過往豐富的情史，同學、學姊、助教，然後再來是學妹、隔壁系上的學妹、出去聯誼認識的學妹……奈津子聽得快翻白眼，卻也不是嫉妒，倒像是看見最好的朋友不知節制大吃大喝一樣，既無奈又擔心。

「你這樣不會引起公憤嗎？」

「有啊。我畢業那一天，被好幾個男生拖到學校角落裡揍得好慘。」青木笑得無所謂。

奈津子嚇了一跳，這件事情她從來都不知道。

「看吧！壞人終究會有惡報的。」她取笑他。

她知道這個男人愛面子，就算自己情況再慘，但只要危及他的男性尊嚴，他絕對會拼死維護。

就像以前高中的時候，他明明重感冒又發燒，天氣又冷，根本不適合下水游泳，但只要同學激他幾句，他還是什麼都不管就跳下水去猛游蝶式，結果游到最後進了醫院，差點得到急性肺炎。

他的幾個死黨都知道，只要唸他一句：「你到底是不是男人啊？」之後要他做什麼他都不會拒絕。

因為這個毛病，奈津子也唸過他幾次。

果然，青木又笑了幾聲後說：「那時候我儘管被打得很慘，但是卻拼命告訴自己，絕對不能倒下。妳知道嗎？我還開玩笑地說我身上哪裡都可以打，就是別打傷我的臉。」

「你是不是天生就是花花公子的命啊？」奈津子吐吐舌頭。

「當然不是啊。我不是就栽在妳手上過，小學妹？」

「還好我運氣好，沒遭到你毒手。」她拍拍自己的胸口，隨即想起來這個動作他看不到。

青木乾笑了幾聲，突然安靜下來。

「怎麼了？」她問。

「為什麼她們幾個離開我的理由，都是因為沒有安全感呢？」他突然間就把自己心裡一直最疑惑的事情說了出來。

為什麼呢？

青木自己也嚇了一跳。

是因為他知道奈津子和其他女孩子不一樣，她會懂得他的嗎？

他無聲地笑了。

是啊，她的確不同。

奈津子真的是唯一個沒有「遭到他毒手」的女人。

「她們『都』這樣說？」奈津子問。

「嗯，每一個，沒有一個例外。」

「的確是沒錯啊。你這個人給人家的印象就是很英俊、很花心，老是喜歡和別的女孩子打情罵俏，沒幾句就把女人收得服服貼貼。也許你只是無意，也許這就是你對女孩子一貫的方式，但是這樣的舉動卻很容易讓人沒有安全感的喔。」

「可是這好像真的就是我的天性。見到美麗的女孩子就會忍不住去搭訕。」

「看吧，」奈津子自己也笑了起來，「真奇怪，明明就那麼久沒見到你了，為什麼我卻一副好像很瞭解你的樣子？」

「對啊，好奇怪。」青木也笑了。

在那一瞬間，青木的心裡有一種奇異的溫暖緩緩流動著。

其實大學畢業後，有一陣子他過得很消極。

因為不懂得收斂，他追過很多很多女孩子，最後弄得整個系上天怒人怨，知心的朋友沒幾個，因為那些朋友的女朋友幾乎有一半都被他搶走；工作找得似乎也不太順利，青木的父親甚至開始考慮先把他放洋到夏威夷去唸個商業管理碩士之類的頭銜，順便也趁這幾年讓他好好自己想一想未來該怎麼辦，總不能這樣泡在女人堆裡過一輩子吧？

他最後聽從父親的建議，開始準備留學的事情，但還是覺得有一種無法彌補的空虛感。

他的人生就要這樣了嗎？

他覺得好徬徨。

而這些感覺他一直很想找一個人訴說，一個女孩子。

也許這就是他天生的性格，喜歡女人多於男人，喜歡家外頭的女人多於家裡頭的女人。

他找了許多女人，那些女人都是他從前的女朋友，她們卻視他為洪水猛獸，不是掛他電話，就是請他不要再打電話騷擾她們，還甚至要現在的男友「警告」他不要再打電話來。

他到底是哪裡做錯了？

這真的是他的錯嗎？

他無法理解，直到他找到了奈津子。

A3

青木到夏威夷去唸書前，找了個機會與奈津子碰面。

那一天，奈津子很緊張。

出門前她不斷打量自己，妝會不會太不自然？身材會不會太胖了？香水會不會太濃？這身衣服好看嗎？

為了這一天，她幾乎要把衣櫃給翻遍了，但配出來的衣服她怎麼看就是覺得有點不對勁。

真想乾脆穿著高中制服去赴約算了。

為什麼會這麼在意呢？

以前和男朋友出去的時候，她也沒這麼細心梳妝打扮過。

是因為心裡在期待著什麼嗎？

還是只是想在自己的初戀情人面前，再次展現自己完美的一面？

她低頭玩弄著自己的手指，又有些自慚形穢起來。

青木的手很漂亮呢，他現在……一定變得更英俊、更有女人緣了吧？

他看到自己會有什麼感覺呢？

自己又想帶給他什麼樣的感覺？

好多好多以前從來沒有想過的問題，像泡泡一樣不斷湧上，奈津子乾脆坐在床上，咬著手指，呆呆地想著。

最後她選了最樸素的牛仔褲與白色棉質上衣出門。

臉上的妝也只是淡淡地抹了一些遮瑕膏遮住淺淺的黑眼圈，再上一些粉底，嘴唇也只是塗了薄薄的護唇膏而已。

長長的頭髮綁成一個俐落的馬尾，看起來竟和當年清純的高中生模樣有些相似。

見初戀情人，就要扮出初戀的樣子吧？

更何況，她也不知道自己還能用什麼樣的面貌去面對他。

成熟的上班女郎？還是冶艷的風情小女人？

不管哪一種，青木都不會喜歡吧？

奈津子有一種預感，青木會找自己，其實是因為他也想找回一些從前的什麼，如果自己在他面前改變得太多，會讓他失望吧？

青木見到她的時候笑了。

她有一陣子的目眩，竟沉溺在那笑容裡久久無法自拔。

原本以為已經遺忘了的過去突然如潮水般湧上，她竟那樣呆呆地看著他依然好看的笑容，直到發現自己的失態。

她低頭掩飾住自己微熱的臉龐以及不太自在的神情。

怎麼了？

為何像個情竇初開的小女生一樣，一見到這個笑容就失了魂？

「最近好嗎？」青木問。

好熟悉卻又有些遙遠的聲音，讓她的心裡一陣蕩漾。

這是他的初戀情人。

他依然在對著自己微笑。

「還不錯。」她有些羞赧。

「妳好像都沒什麼變呢。」

見到她這副清純模樣，青木忍不住走過來，伸手摸了摸她的頭髮。

奈津子的頭髮很乾淨，沒有髮膠的香味，摸起來柔順，看起來有著健康的光澤。

很自然，很純美。

就像他們曾經一同擁有過的那一段歲月。

奈津子抬起頭看他，開心地笑了起來。

青木有一股衝動，好想摸摸她的臉蛋，看看是不是仍像記憶中的那樣光滑柔嫩？

但是他忍了下來。

他知道，他們已經都不屬於那個未滿十八的少年時代。

他長大了，她也長大了。

他們現在並不是戀人，只是學長與學妹，就這麼單純。

而學長即使再疼學妹，也不會摸上學妹的臉蛋的。

奈津子是他僅剩最後的、最純真的情感，他不想毀了它。

青木輕咳一下，掩飾住自己差點無法控制的衝動，然後他說：「找個地方坐坐吧？」

那一天他們談了很多。

但是卻完全沒有提到高中時代的往事。

他們談大學的趣事，偶爾談談自己的幾段戀情，當青木知道奈津子在大學時有好幾個學長同時追求的時候，他露出了然的笑容。

「我就知道妳上了大學之後，一定會有很多男生追妳的。」

他是真心地為奈津子高興，還是只是為了掩飾自己心裡的一些不明所以的遺憾？

奈津子看著他的笑容，那一瞬間又有一種回到過去的錯覺。

如果，他們那時候沒有分開，現在會是什麼樣的光景？

他和她仍舊會在一起嗎？

還是他們的分開是不可避免的？

在人生的旅途中，他們註定相遇，陪伴彼此一段時間後再次分離。

那麼，他們永遠不會再有第二次機會了嗎？

奈津子突然有些感傷。

如果，她現在沒有男朋友，也許真的會有那樣的機會吧？

她不知道該不該怪造化弄人，或是世事本就是如此，讓她看見了過往的美好，卻沒有辦法再次捉住，只能暗留遺憾。

於是，青木走了。

那天他們就像一對老朋友一樣，聊了很多很多，但彼此卻都知道，他們其實還有一些心底真正的話語，並沒有說出來。

也許，他們將來還有機會。

即使，將來不再有機會，這些話也許還是繼續深藏在心底比較好。

兩年很快就過去了，快得讓奈津子來不及意識到青木已經要回來了。

這兩年裡，她換了男朋友，換了工作。

當她接到青木的電話時，真的嚇了一跳。

兩年裡發生了太多的事情，讓她已經遺忘了這個男人。

但是當那熟悉的聲音從電話中出現時，她腦海裡馬上浮現了他的笑容。

帶著喜悅的心情，她和他約在距離高中母校不遠處的一家餐廳碰面。

青木的肌膚被夏威夷的太陽曬成了漂亮的古銅色，原本短短整齊的頭髮留到了及肩的長度，他的髮質本來就好，頭髮微微撥動的時候有一種慵懶的帥氣，看起來竟有些像香港電影裡的古惑仔。

他胖了，整個人的感覺有些疲累，看到奈津子的時候，他微微一笑，連那笑容都有些疲倦的味道。

「怎麼了？在夏威夷過得不快活嗎？」奈津子取笑他。

「快活。就是太快活了，所以覺得已經沒什麼事情好玩了。」青木笑著搖了搖頭，突然問：「不介意我抽根菸吧？」

奈津子搖搖頭。

「你沒有想過要戒菸嗎？」

吃飯的時候，她看著他的側臉問。

是自己的錯覺嗎？

為什麼她覺得青木好像一下子老了很多？

不是外貌上變得老氣，而是整個人的氣質帶著一種滄桑的感覺，像是已經步入中年的男人一樣，因為年輕太過輕狂，所以到老只剩下回憶與點菸的力氣。

「戒菸？沒想過。抽菸已經變成我生活的一部份。」

他不在乎地說著，奈津子卻湧起一股罪惡感。

她知道自己也許在自作多情，但她清楚記得，青木是在高三開始抽菸的，正是自己和他「分手」的時候。

其實她到現在都還不知道，當年兩個人到底是為什麼會就這樣漸行漸遠，明明連正式的「分手」這兩個字都沒說過，明明她十六歲生日的時候，青木還幾乎花光了自己所有的積蓄買了一對昂貴的男女對錶，將女錶送給她……是她一直都沒有回應，所以他才死心了嗎？

自己為什麼當年會那麼狠心呢？

可是，現在會這樣想的自己，是因為長大了吧？

所有的結果其實都是在一種必然之下產生的，如果沒有當年那些事情，今天的她不會有這樣的領悟，也不會有這樣的感慨與遺憾。

為什麼人總要這樣才能得到教訓？才能知道自己當年到底做錯了什麼？知道了，卻早已經沒有辦法挽救，又是多讓人沮喪與無奈。

奈津子看著青木，一直很想和他說——

青木，對不起。

吃完飯後，青木問她想不想去哪裡走走，反正他還不太想回家。

奈津子提議要不要回以前的高中去看看，青木愣了一下，然後點點頭。

一路上兩個人慢慢閒聊著，青木說他在夏威夷愛上一個韓國女孩，用盡各種心思去追她，但最後女孩還是回去了韓國，沒有為他留下來。

後來他又交了另外一個日本女孩，女孩很愛他，愛到無法忍受他再與其他女人有任何瓜葛，把他管得死死的，但他卻不以為苦，甚至還有點享受這樣「被管控」。

「這真的不太像你耶。」奈津子很是驚訝。

她沒有想到青木居然會喜歡被一個女人綁得死死的，哪裡也不能去。

「她有她的好處，」青木笑笑，「而且她真的愛我。這樣就夠了。」他抬頭望望天空，他們已經走在人跡較少的小道上，漆黑的夜空少了一些光害，能隱約見到夏天的星星，「我累了。年輕的時候玩得太兇了，現在只想安安穩穩過日子。有個這樣的女人愛我、願意和我在一起，我已經很知足了。」

奈津子的下巴都快掉了下來。

青木還不到三十耶！怎麼說出來的話就和個想退休的窗邊族一樣？這到底是怎麼回事？奈津子差點就脫口說出「未老先衰」這四個字。

「你真的這樣就滿足了嗎？」她還是有些不敢置信。

青木望著她，聳了聳肩，「不然呢？人生不就是這樣過的嗎？」

「可是你還很年輕啊！你還不到三十歲耶！」

「那又如何？」青木慵懶地一笑，笑容裡滿是疲倦，「我是真的累了。」

奈津子輕輕皺眉，她不懂，真的不懂。

她還很年輕很年輕，還有好多夢想沒有完成，她還想多交幾個男朋友、多存點錢然後出國旅行，還想換個更好的工作，甚至有可能的話，在東京買一間小小的套房，然後養一隻貓……她想做的事情還有好多，絕對不認為「人生這樣就夠了」。

腦海裡浮現「沒出息」這個形容詞，但她卻不忍心把這個形容詞放在青木身上。

他是青木啊，怎麼會……變成這副意興闌珊的模樣？

「妳知道嗎，」青木又說：「我現在連做那種事都嫌累了，以前一個晚上可以來三、四次，現在一次就覺得夠了，沒興致再繼續做。」他回頭對奈津子眨眨眼，「這個可是祕密喔，千萬別對任何人說。」

奈津子乖乖點頭。

夜晚的校園裡很安靜，只有籃球場那兒偶爾傳來幾聲運球的聲音。操場旁邊的雜草叢裡傳來蟲鳴，月亮很亮，人的影子清晰地照在操場的跑道上，兩個人的影子，拖得長長的，一前一後地走著。

好像在很久以前，他們也曾經這樣肩併肩地走著。那個時候他們還好年輕，兩個人的心裡只有彼此，只要見到對方，就會心情很好很好，露出最快樂的笑容。

世界彷彿就這麼簡單，只有他和她。

「青木，對不起。」

影子突然停了下來。

然後又往前進。

青木笑了起來，「說什麼傻話，我才覺得對不起妳呢。」

奈津子有些吃驚，「真的？」

「是啊。從前我對妳不夠好，脾氣也太倔強……都是因為太年輕，所以才那樣不懂事吧……」

奈津子越聽越心虛，為什麼連青木對自己的歉疚感，都與自己對他的，那樣相似？

「我可以問你一件事嗎？」

「嗯。」

「那時候，你真的很喜歡我嗎？」

青木轉過頭來看她。

「當然。我還認真地想過要和妳共度一輩子呢。」

奈津子覺得自己心口有什麼東西好像融化了，熱熱的，讓她眼睛莫名一酸。

原來，他們真的曾經愛過，雖然是那樣不懂事的愛情。

「那妳呢？」這次換青木問。

青木看著她的神情似乎有些緊張，又似乎在期待什麼。

「在妳那些男朋友裡面，我算什麼樣的地位呢？」

「我也曾經想過，要和你一起過一輩子。」

這是真的，她沒有說謊。

青木的表情像是鬆了一口氣，他低聲笑了起來。

那笑聲裡竟然有一些無奈。

「唉……現在說這些做什麼呢……」

喃喃自語著，他又緩緩走了下去。

他又說：「其實我高三的時候，知道河原在追你。」

奈津子等著他把話說完。

「可是我能做什麼呢？那種感覺，就像我已經下了車，看著車子離去，然後知道自己再也沒有機會上車了。」

奈津子沒有說話。

她看著他的背影，知道他們之間有什麼東西，真的結束了。

奈津子張開眼。

她還在空無一人的游泳池旁，或者說，依然在酒店的房間裡。

落日依舊照在靜靜流動著的水池上，波光蕩漾。

她突然跳下水，就那樣穿著整齊的衣服跳了下去，有種衝動想要重溫或是重新抓住一些過往的什麼。

靜靜的水流撫過她的身體，浸了水而沉重的衣物讓她在水裡很難行動。

但是在水裡的感覺卻是她熟悉的。

一件又一件，她褪去身上的累贅，直到只剩下最簡單的內衣。

然後她在水池裡游起泳來。

自由式、蛙式、仰式還有蝶式。

每一種她都會，過了這麼多年，也許速度不如以往，但是架式卻依然還在。

她不知道游了多久，等到她累了，從池水裡站起身的時候，那抹夕陽仍掛在天空上，時間彷彿完全靜止。

奈津子甩甩頭髮，拾起在池水裡漂盪的溼透衣物。

爬上岸的時候，她發現已經有乾淨的毛巾和浴衣擱在那兒。

真是服務周到的酒店哪。

她換上浴衣，拿著溼透的衣服準備離開房間。

「奈津子。」

突然有人喚她。

她轉過頭，游泳池不知道什麼時候已經消失了，在眼前的是一棟熟悉的大樓，有一個人影在二樓的走廊上，正微笑看著她。

「奈津子。」

那個穿著高中制服的人影，用著好溫柔的聲音喊她。

完美女人

Room L08

L1

淺岡浩司，二十五歲，保險公司業務員。

淺岡失戀已經兩年了。

這兩年來，也不是沒有遇過條件不錯的對象，但他就是提不起勁來再投入一段關係。

他常常自嘲，自己是得了「草繩症」，只要看到女人，都會以為那是條毒蛇，雖然很想碰，但手才伸出去，之前被蛇咬的傷口又會痛起來，讓他裹足不前。

結果除了公司裡的同事外，和他還算感情好、走得最近的女性，反而是他的大學同學長瀨。

長瀨的公司就在他公司附近，兩個人沒事會一起相約吃個午餐，或是喝喝下午茶。

偶爾同事們看見他們倆人在一起吃飯，還會起鬨說別當他們的電燈泡，但淺岡聽了都只是苦笑，不多做辯解。

長瀨自己也才剛結束一段戀情，目前還在「休養生息」，並不打算急著找下一個。而他畢竟是男人，又是單身，有時候難免寂寞，想要體驗一下女人的溫柔與笑語。也因為如此，兩個人才會常常聚在一起，互訴苦水吧？

長瀨常笑他是個沒什麼記憶力的男人，每次經過同一家餐廳，都會說這是他和律子最常來的地方，她最喜歡吃那裡的哪一道菜等等。說著這話的人卻完全沒有印象，自己已經說過這段話不下數十次了。

淺岡真的不記得自己說過了。

他開始慢慢忘記很多事情，尤其是最近才發生的事情。

但是那些很久以前的往事，他卻記得清清楚楚，清楚到讓他痛苦不堪。

有時候想著想著，他會忍不住心酸，眼眶就會紅了起來。

長瀨看到他這個樣子，剛開始會緊張，後來習慣了，也就只是過去抱抱他，拍拍他的肩膀，給他加油打氣。

她總是說，不要認為是別人不要你，千萬不要這麼認為。

你只是還沒有遇到對的人而已。

「你真多愁善感耶。」她糗他。

「我以前不是這樣的。」他悶悶地回了一句。

這天淺岡下午約的客戶臨時改約，他空出來一段時間沒地方打發，自然而然地撥了通電話給長瀨，剛巧長瀨這天提早下班要去自由之丘買一些小東西，他就跟著她一塊來了。

長瀨搬家了，她說她不想再住在會回憶起那個男人的地方，她想要重新開始。

淺岡其實有點羨慕她，說放手就放手，難道她真的不會再去想、再去介意嗎？

他知道自己其實也問過長瀨很多次這個問題了，但是他後來慢慢察覺，也許這個問題，他真正想問的人，是自己。

為什麼自己就是放不下呢？

「這個盤子不錯吧？」

長瀨在一家仿歐式建築的雜貨店門口拿起架子上擺著的一個盤子，上頭有幾隻白色的兔子在慵懶地打著盹。

淺岡看了一下，沒有說話。

長瀨看了他一眼，馬上就知道他在想什麼。

「你不會又想到律子了吧？」

他苦笑一下，說：「律子很喜歡兔子。」

長瀨忍住想要翻白眼的衝動，最後只是聳聳肩。

都已經兩年了，這個男人為什麼還是念念不忘律子？

律子、長瀨、淺岡三個人是大學同學，原本三個人很要好，後來律子喜歡上淺岡，當時淺岡還有些煩惱，因為他覺得自己並不是很喜歡律子，還曾好幾次委婉拒絕了律子的情意。

在那段曖昧的期間，長瀨成為兩個人訴苦水的垃圾桶，早上聽完了這個，下午又被另外一個拉去，最後她受不了了，乾脆找個時間把兩個人都找來，要他們把話說清楚。

原本長瀨以為淺岡會拒絕到底，正打算好好去安慰律子，沒想到第二天，兩個人居然手牽手出現在她面前，她看得下巴都快掉了下來。

很多年以後，提起那一幕，長瀨還是直呼不敢相信。

不過，更令她感到不可置信的事，最後先提出分手的，居然也是律子。

「都兩年了。」長瀨拍拍他的肩膀。

其實她知道，這個男人此刻需要的應該是一個擁抱。

她不是給不起，只是她知道，他想要的擁抱不該是由她給的。

「我們找個地方坐一下好不好？」

「沒問題。」

他的手也酸了。

女人真的是恐怖的購物狂，只是一、兩個小時就能買上一大堆東西，也不知道以後是不是真的用得著，他看長瀨根本就是一天到晚吃外食，沒什麼機會在家開伙，那為什麼又要買上一整套的杯盤碗茶壺還有兩個新鍋子？

長瀨的說詞是：偶爾放假的時候，心血來潮會想自己開伙。

淺岡本來想糗她一兩句，他又不是第一天才認識她，怎麼會不知道她煮泡麵的工夫絕對比煎一顆蛋厲害。

但是他才想張開嘴，腦海裡突然浮現的一個念頭讓他的眼神又黯淡了一下。

長瀨這次沒有注意到，她只是很專心地搜尋著這附近看起來還不錯的喫茶店。

等到他們在一家喫茶店落座，侍者端上一杯咖啡後，他終於忍不住說了出口：「其實我一直很喜歡替人準備什麼的感覺。就像是削水果、煮點簡單的飯菜，或者是在外面逛街看到一條很漂亮的項鍊，或是一瓶味道很棒的香水，當我心裡想著這是要為某個人準備的時候，那種感覺真的很幸福。」

長瀨聽了，笑了笑。

她懂。

這個世界上，唯一不會求回報，在給予的過程中便能得到幸福的，只有愛。

「我喜歡被需要的感覺。」

淺岡嘆口氣，有些自暴自棄地一口氣就喝乾了半杯咖啡。

「咖啡別喝太多，小心對胃不好喔。」長瀨叮嚀。

「是是是，妳還真像我媽呢。」

說完，他自己也愣了一下。

抬起頭看長瀨，只見她正埋首努力吃著起司蛋糕。

不知道是真的沒聽到，還是假裝沒聽到？

他其實也不是很在意，反正他只是希望有個人能聽他說這些話而已。他自己也知道，這些話他可能已經說過很多次了，其他人大概早就不耐煩了，但是長瀨卻還是很有耐心地聽他說完。

有時候即使她看起來像蠻不在意，但其實她都聽在了心裡，等到適當的時機到了，才會回答。

「我說啊，」長瀨這時放下手裡的叉子，從椅子上的背包裡摸出一張名片，「你老是這樣放不下也不是辦法，要不要去這裡試試看？」

名片遞過去，他接了過來。

「時光隧道」？

愛情酒店？

「這是什麼地方？愛情酒店？」淺岡揚起一邊眉毛，「我現在是常喊寂寞沒錯，但也沒悲慘到要去這種地方叫小姐服務吧？」

「不不不，這家愛情酒店很不一樣喔，」長瀨不知道為什麼突然顯得很興奮，「只要去了，你絕對不會後悔。」

「我去了才會後悔吧？這到底是什麼地方？難道妳去過了？」

「當然！」

淺岡嚇了一跳。

「妳這麼快就找到新對象去開房間了？」

「哎唷！不是啦！那個地方只能一次一個人進去，而且那裡真的不是像你腦袋裡想的那樣，你去看看就知道了。」

「我不是很想去。」

名片被遞了回去。

「你要去。」

長瀨把名片塞在他手裡。

「這是為了你自己，你一定要去。不去以後就不陪你逛街了。」

「……是誰陪誰啊？其實我最討厭逛街了。」

「那就不陪你吃飯。」

「陪我吃飯的客戶很多，誰希罕妳？」

「那就不和你在電話上聊天。」

「……」

「也不陪你去喝酒了喔！」

「……那家酒店貴不貴？」

淺岡心裡感嘆啊，沒有女朋友也就算了，現在想要長瀨陪一下，還得這麼低聲下氣的，好像委屈的小媳婦。

是自己真的太寵女人了，還是這個世界真的變了？

這天晚上，淺岡和客戶喝了很多酒。

他也記不清到底和客戶談成了沒，只記得自己離開的時候，對方還一直拉著他的手不放，說什麼不醉不歸非要喝到天亮的瘋話。

不醉不歸？

那他已經醉成爛泥了，可以回去了吧？

一個人跌跌撞撞地想要叫輛計程車，但不知道是自己運氣不好，還是剛好那天晚上的計程車司機都不想載酒鬼，他怎麼樣就是招不到車子，最後只好自己一個人慢慢走回家。

家。

只有一個人的家，也算是家嗎？

他真的好寂寞，為什麼都沒有人陪他？
突然悲從中來，一個大男生就這樣跌坐在馬路旁的巷子裡痛哭起來。
他到底做錯了什麼？
為什麼律子要離開他？
是不是這個世界上不會再有人愛他了？
他只是，很單純的，想要有一個女孩子，能在吃完飯後一起牽著手，散散步，說說今天發生的事情而已。
為什麼這麼簡單的願望，卻這麼難達成？

世上只有媽媽好
有媽的孩子像個寶
投進媽媽的懷抱
幸福享不了

世上只有媽媽好

沒媽的孩子像根草
離開母親的懷抱
幸福哪裡找

是誰在唱歌？
而且還唱得那麼難聽，調子不成調，走音更走得亂七八糟，聲音上上下下的倒像是
一隻小貓在哭一樣。
然後他發現原來是自己在唱歌。
為什麼會唱這首歌呢？

世上只有媽媽好
有媽的孩子像個寶
投進媽媽的懷抱
幸福享不了

世上只有媽媽好
沒媽的孩子像根草
離開母親的懷抱
幸福哪裡找

「媽……」

淺岡哭得更兇了。

他的母親在十五年前過世了。

那一年，他才十歲，還不是能夠承擔生老病死的年紀。

他只記得，有一天母親突然病倒了，然後被送進了醫院。

母親再也沒有從醫院出來過。

母親去世之後，家裡就剩下他和父親兩個人，父親天性沉默寡言，即使關心也只是放在心裡，從來不輕易表達出來。

淺岡不是不知道父親的心意，只是父親畢竟取代不了母親。

如果說，父親是每個男孩子心目中男子漢的榜樣，那麼母親就是他心目中完美女人的典範。

母親是一個男孩子最早接觸的女性，她溫柔、善良，總是在需要的時候陪在你身邊，你傷心的時候，她會抱著你，心疼地說著安慰的話；你快樂的時候，她會笑得眼中帶淚，彷彿你是這個世界上最棒的驕傲。

淺岡在十歲那年就失去了這最初、也最美好的女人。

時間是雙溫柔的手，它可以撫平所有的傷痕，但卻抹滅不了傷痕底下的空洞。

時間能讓你癒合，卻不能給你所需要的東西。

當淺岡漸漸從喪母的悲痛恢復過來，他以為日子就這樣過下來了，不會有什麼不同。

家裡雖然都是男人，但好像也沒什麼不妥，頂多是兩個男人幾乎從來不開伙，廚房擺在那裡只是好看用的而已。

後來父親遇到了另外一個女人，兩個人便同居了。

淺岡那時候也剛好大學畢業，便找了個藉口離開家裡，自己一個人到東京找工作，然後暫時安頓下來。

他不是討厭那個女人，只是他無法對那個女人喊出「媽媽」。

因為她不是。

沒有人能代替他的母親。

沒有人。

他也沒有看不起父親，男人嘛，誰不希望有個女人在身邊？可以一起喝喝茶、聊聊天，吃完飯後一起手牽著手，到街上散散步，數著天上的星星……

好過份，像父親那樣的老頭子都能找到對象，為什麼他就不行？

斷斷續續哭了好一會兒，他麻亂的心情終於慢慢平靜下來。

抹抹臉，他罵自己沒出息、不爭氣，幹嘛沒事就躲在角落哭？

可是他以前明明沒有那麼愛哭，或者說，那麼容易多愁善感的啊？

這一切的改變，都是自從律子離開他的那一天開始的……

她的離開，始料未及，也硬生生地從他身體裡挖走了一些他一直相信的什麼。

淺岡在自己的公事包內摸索著，想要找張面紙什麼的擦一擦臉，但是他拿出來的卻是一張名片。

「時光隧道」。

他狐疑地看著這張名片，聽長瀨說得那樣興高采烈，是不是至少該去大門口看一下，以後長瀨問起也好交代。

「好像離這裡還蠻近的樣子……我到底怎麼了？沒事就愛掉眼淚……」

他看著名片上的地址，喃喃自語著。

哭完了，心情也輕鬆一些。

雖然他知道一直壓在自己心頭上的那種無解與無力感依然存在，每次到達他無法再承受的臨界點時，他就只有慌張地想要找些什麼方法發洩，而最好用的方法就是躲起來一個人哭個痛快。

他也不怕別人笑，說什麼男兒有淚不輕彈。

那都已經是過去的陳舊想法了，以前的男人就是有傷心事也要拼死忍住，最後就變成像他家老頭子那樣陰陽怪氣，什麼話都不肯說，只管默默地做，但有些事情不是做了別人就會了解的。

「我什麼時候變得這樣多愁善感了……」

像是很煩惱地說著，但其實自己早就接受了這樣的轉變。

夜雖然已經深了，但是他並不想回到只有一個人的家裡。

反正也沒有人會牽掛、沒有人會在意。

自己就一直是一個人。

淺岡嘆了一口很長的氣，想著要是明天下班後長瀨有空的話，要不要找她一起去看個電影什麼的，打發一下時間。

寂靜的夜裡，一個提著公事包的男人，帶著一雙有些紅腫的眼睛，慢慢地走向遠方更寂靜的夜色裡。

街燈把他的影子拉得很長很長。

很孤單。

L2

淺岡推開門時嚇了一跳。

他退到房門口，看看外頭。

沒錯，外面的確是酒店走廊啊，但為什麼一打開門裡頭就是一片櫻花林，而且還看不到盡頭？

這也未免太神奇了吧？

難怪長瀨那麼興奮地一直要自己過來瞧一瞧。

淺岡狐疑地走進去，打量著四周，想要找出是不是有什麼投影設備，然後又想著是不是今天酒喝多了所以才產生這樣的幻覺？

「如果是幻覺的話，這也太真實了吧……」

一陣微風吹了過來，粉色花瓣隨風輕捲，幾片落在他的西裝上。

他低頭看著那粉嫩色澤的花瓣，忍不住伸手拿了下來，柔柔的，細細的，真的是櫻花花瓣。

這到底是什麼地方？

而且這裡……

淺岡突然輕輕「啊」了一聲，他想起來這是哪裡了。

「怎麼會在這裡出現……」

他眨眨眼，往櫻花林的深處走了進去。

皮鞋踩著的是帶著一些溼潤氣息的泥土，輕風不斷吹拂在他臉上，很溫柔，不時帶著小小的櫻花花瓣，一片一片輕輕落在他的臉上，像是有隻小小的手在輕拂著他的臉。

好溫柔。

好懷念。

淺岡閉上眼，再次想起了律子。

那一天，律子很高興地跑來告訴他，說她在學校附近發現一個地方，那裡開滿了櫻花，而且很少人知道。

於是那天下了課，淺岡就騎著腳踏車，帶著她來到那處人跡稀少的櫻花林。

春天已經接近尾聲了，櫻花紛紛落盡，他們騎著腳踏車行過一株又一株的櫻花，每當風一吹過，櫻花雨便落了兩人滿身。

淺岡騎著腳踏車來來回回，律子在後座，雙手大開著，小小的手掌承接著一片又一片的花瓣，等到滿了，她的手一翻，嘩啦啦的櫻花雨便落在淺岡的頭上，然後她會快樂地咯咯笑著。

「浩司，」律子的雙手抱緊他的腰際，「我覺得好幸福喔。」

淺岡沒有說話，臉上卻滿是笑意。

是的，他也覺得很幸福。

那個時候他完全沒有想到，有一天，律子會對他說出那句話。

「我們分手好嗎？」

律子才說完就馬上哭了出來，蒼白的臉蛋上掛滿了淚珠。

淺岡像是被雷打中一樣，杵在原地完全不知道怎麼反應。

這是怎麼回事？

他有沒有聽錯？

為什麼這麼突然就要分手？

「怎麼了？到底是怎麼了？我哪裡做錯了嗎？」

他當下的第一個念頭就是自己哪裡做錯了。

他完全無法接受這個事實，想要挽回、不想要分手。

自己早就把律子當成要走完一生的伴侶，她怎麼可以突然就這樣硬生生踩碎他為她而存在的未來？

律子只是一直哭，一直哭，哭到最後聲音都啞了。

「我真的沒有辦法再和你在一起了。」

「可是這到底是為什麼？總有個原因吧？」

淺岡焦急得也快哭了。

怎麼會這樣……怎麼會這樣……他到底哪裡做錯了……為什麼這種事情會發生在他身上？

他們不是都已經走過了這麼多年，熟悉得就像家人一樣，甚至都討論過結婚的事情，為什麼這麼突然就要分手？

「妳不要哭了！求求妳告訴我，我到底是哪裡做錯了？！我求妳好嗎？！」

他幾乎是嘶吼地喊著，他不能失去她！

她已經是他生命最真誠的一部份，他怎麼能失去她？

但是律子只是一直哭，一直搖著頭。

最後她哭得全身無力，站也站不住，只好慢慢蹲了下來。

「對不起……對不起……我真的沒有辦法再和你在一起了……」

嗚咽的聲音細細傳來，聽得他心都碎了。

她為什麼要這麼痛苦？

是自己害她這麼痛苦的嗎？

可是如果分手會讓她這麼痛苦，她又為什麼要這樣做？

為什麼？

他真的不懂。

可是他愛她，所以他寵她、疼她，從不忍心去忤逆她的任何要求。

於是他答應了。

剛分手的那段期間，他心心念念想的就是要如何挽回這段感情。

他送花、送禮物，甚至每天打電話給她，或是開著父親的車接送她去任何她想去的地方，但是律子似乎已經下定了決心，每次只要他稍微提起復合的事情，她馬上就堅決地說「不」。

後來淺岡甚至生氣起來。

雖然律子也很難過，但是提出分手的人是她，意味著她其實早就想著這件事了，也做好了一些心理準備，所以現在才能這麼堅決地一直拒絕自己吧？

可是他呢？

身為被突然提出分手的那一方，他根本無所適從，尤其是到現在律子都沒有明確地說出分手的真正原因，他沒有辦法了解這段關係的問題出在哪裡，而這讓他更心慌意亂。

是她不愛自己了？

還是有第三者？

可是分手後都一個多月了，他也沒見到律子身邊有什麼男人出現。

那麼她所謂的「我真的不能繼續和你在一起了」到底是什麼意思？

那一陣子，淺岡動不動就找人喝酒。

不醉不歸，醉了就痛哭，然後第二天起來繼續沒事人一樣地上班。

好像就是從那時候開始，他變得愛哭了吧？

不懂自己為什麼被拋棄。

不懂自己為什麼沒人愛了。

不懂自己到底哪裡做錯了。

不懂為什麼律子要離開。

不懂，真的不懂。

心口很悶，卻又不知道該如何宣洩出來。

於是只能喝酒，喝完酒大喊大哭之後似乎好一點，可是當一個人在黑暗的房間裡清醒過來的時候，他又感到更加空虛寂寞。

他只是很單純地想要和律子一起走完一輩子而已。

失去了律子的陪伴，他突然更刻骨地感受到孤寂的滋味。

就好像那種感覺被猛地放大了好幾倍一樣。

又有些熟悉。那種無依無靠、甚至有些害怕的感覺。

為什麼會覺得熟悉呢？

他以前也有這樣的感覺嗎？

他不斷地問朋友，自己是不是哪裡做錯了？

沒有人告訴他為什麼，因為他們都不是當事人。

直到很久以後，他遇到了長瀨。

「你那些朋友一定都是男人對不對？」

長瀨聽完他的疑問，馬上開門見山地問。

淺岡愣了一下，然後點點頭。

遇到這種事情，第一個想到的當然都是平常廝混的好哥兒們，而且自從他和律子在一起之後，他就自動遠離所有的女性朋友，因為他怕律子會誤會、會不高興。久了之後，他連知心的女性朋友都沒了。

長瀨當時也被他漸漸疏遠，還是因為最近他跑客戶的時候居然遇到了長瀨的祖母，這才又牽起了線。

「男人比較喜歡傾聽，通常不太給意見。可是女人心思就比較多樣了。多問幾個女人，多聽一點女人的意見，你就可以慢慢拼湊出答案了。」

「所以妳知道為什麼律子不要我？」淺岡冷笑一聲。

「第一，不要覺得你是別人不要的，」長瀨拍他一下，「第二，我也是女人，要猜出律子的心思，其實也沒那麼難。」

淺岡沉默了一會兒，卻斷然說：「不，我不想知道為什麼。」

「你不想知道？可是你之前不是因為這件事傷心了很久？既然要死，總要知道自己是怎麼死的吧？至少這樣將來才不會犯同樣的錯啊。」

「不要，我不想聽！」

淺岡任性地摀住自己的耳朵。

他突然害怕起來。

萬一到最後，真的是自己的錯怎麼辦？

還是萬一長瀨斬釘截鐵地告訴他，這一切都是因為律子已經不再愛他了，那他一定會馬上崩潰甚至想一頭撞死吧？

「不想聽也要聽！你當鴕鳥太久了！」

「就讓我繼續當鴕鳥不好嗎？至少這樣我不會難過。」

「你這個人怎麼這麼膽小？都已經被人家踩成這樣了，起碼也要知道為什麼吧？難道你不想重新開始？不想再找一個更好的女人？」

「不想不想不想！」

二十五歲的大男人任性起來，也和頑皮的死小孩沒兩樣。

他好怕！

他已經沒有勇氣再去承受那樣的事實了！

他可不可以不要知道，就這樣躲一輩子好了？

長瀨見他這副沒出息的模樣，簡直要氣昏了。

淺岡什麼時候變得這樣沒擔當了？

是不是戀愛真的會改變一個人，而且改變得這樣徹底？

她明明記得他在大學的時候還是個勇氣十足又開朗的大男生，為什麼現在變成這副沒種樣？

她看著淺岡，突然嘆了一口氣。

原來愛與被愛到了一個極端，同樣都讓人無法承受。

「淺岡，你還年輕，還很有魅力，可是如果你再繼續做一隻把頭埋在洞裡的鴕鳥，即使你的羽毛再豐美，也不會吸引到女人的。她們只會走過你身邊，好奇地對你指指點，卻不會為你停留，因為她們看不到你的臉，無法了解你的心喔。」

淺岡聽完她的話，悶悶地把摀住耳朵的手放下來。

「……妳真的知道？」

「你就當聽我在亂說好了，反正也是我猜的嘛，你也不用那麼認真。」

「……那妳說吧。」

「說之前我先確定一件事，你們分開的原因，真的不是因為第三者？」

淺岡搖搖頭，「我確定不是。」然後他想起什麼，有些憂心地看了一眼長瀨。

她知道他在擔心什麼。

「放心，我已經沒事了。」

對於那個人，她已經不想再提。

雖然也是因為那個人，她才能更了解律子心底可能在想些什麼。

「如果不是因為第三者，其實理由很簡單。一個是因為她變得不愛你了，另外一個就是她太愛你。」

淺岡滿臉問號。

「如果她不愛你了，那一切都很好解釋，不是嗎？人是會變的，律子也在變，如果兩個人變化的速度沒有辦法同步，或是變得漸行漸遠的時候，分手只是一個必然的結果，不是嗎？」

淺岡的一顆心沉了下來。

這個理由他不是沒想過，只是由別人的嘴裡說出來，還是讓他很沮喪。

有一種自我價值被看破的自卑。

因為不愛了，所以才不願意繼續在一起了？

「不過……」長瀨又話鋒一轉，「你說律子和你分手的時候，也很難過，是嗎？」

他點點頭。

他還記得那天她哭得肝腸寸斷的模樣，至今想起來都心疼。

「難過，是因為還愛著你吧。」長瀨嘆了一口氣，「所以我想，她其實還愛著你，而且好愛好愛，愛到自己無法再承受下去，為了要救自己，所以只好和你分開。」

「……這是什麼理由？真的愛我，為什麼又要分手？」

「也許有其他的理由，讓她不得不放棄你。你想過這點嗎？」

淺岡想了一會兒才悶悶地說：「是因為她家裡的因素？」

對於律子的家庭狀況，長瀨也略知一二。

律子的雙親感情並不好，多疑的母親老是懷疑父親在外面有別的女人，甚至還罹患憂鬱症，年紀大了之後又有糖尿病，不論身體、精神都已經十分耗弱。

律子在大學的時候就必須常常陪著母親到醫院看診，母親因為自己的不幸遭遇，因此嚴格禁止女兒結交男朋友，更別說婚嫁。母親偏激地認為全天下的男人沒有一個是好東西，她的女兒絕對不准和男人有任何牽連，不然下場就會像自己一樣。

在這樣的家庭壓力下，律子還是堅持和淺岡在一起，這一點曾經讓長瀨很感動。

因為如果換做是長瀨，她絕對會以家庭為優先考量，男朋友先擺一邊。

所以她知道，律子當年真的很愛很愛淺岡，才會願意這樣不顧一切地和他在一起。

但是人會變、人會長大。

年輕時候在意的事情，常常長大之後便會開始質疑它的重要性。而且人會漸漸變得更愛自己，因為如果連自己都不愛、都沒有辦法照顧得好，又有什麼條件去愛別人、去照顧別人？

有人會說這是一種很自私的行為，可是如果不自私，連自己都活不下去，那有愛情又有什麼用？

躺在病床上的愛情其實一點都不淒美浪漫，只有無助的負擔與懊悔。

「律子還是愛你，只是她現在開始學會要愛她自己，不然她會愛你愛到沒了自己，她也會沒有辦法活下去。」

但是淺岡還是不太懂。

在他的邏輯裡，相愛就是廝守在一起，為什麼還要有這麼多的考量？

看著淺岡努力思索的模樣，長瀨也只能嘆氣。

男人的思路和女人截然不同，要他去理解女人的思考模式，恐怕也不是一時三刻就能做到的。

律子終於也長大了呢。長瀨這樣想。

雖然這樣的成長，對淺岡來說是一種自私的行為，可是她並沒有錯，她只是變得更愛自己而已。

這是不是也是一種變心？

律子的心不再完全放在淺岡身上，她的人生不再以淺岡為中心運轉。

因為她要愛自己。

L3

在這種地方，如果有點酒喝就好了。

淺岡這樣想著，但隨即又打消念頭。

一個人喝酒多寂寞？

他走到一棵櫻花樹下，放下公事包，然後坐了下來。

這裡真是個憶起悲傷往事的好地方啊……

他自嘲地笑笑，不免又想起他與律子間的點點滴滴。

其實都過了這麼久了，他的心態多少也平復了一些，也盡量要自己不要再去沉浸在過去。

但有時候，他真的就是做不到。

有一次，他夢見律子嫁給了別人，他嚇得當場驚醒，隨即淚流滿面，一個人在深夜裡哭得唏哩嘩啦，連聲音都哭啞了，就像個失去母親的孩子一樣。

淺岡自己也知道不能再這樣下去了，於是他回去找父親，把自己所有的心事都吐露出來。

父親雖然沉默寡言，但見到自己的兒子憔悴成如此模樣，心中仍十分擔心，但是他卻不知道該如何安慰淺岡。

那幾天，父親只是用著擔憂的眼光看著他，有時候似乎想講些什麼，但卻因為不知道如何開口而又選擇了沉默。

淺岡並不是沒有感覺到父親的關心，只是他看著有些不知所措的父親，會忍不住想，如果母親在的話就好了。

母親和父親是完全不一樣的，可以盡情撒嬌，可以盡情哭訴，可以在母親面前毫無形象地大哭大鬧也不用擔心，因為她永遠不會嫌棄自己的孩子。

她會溫柔地拍拍他的頭，輕輕地抱著他的身子，慢慢搖著，像是在搖籃裡一樣。

然後告訴他，沒事沒事，一切都沒事。

只要在母親的懷抱裡，天塌下來都不怕呢。

突然又想起了母親。

淺岡的淚水又流了出來。

他也很討厭這樣軟弱的自己，可是他到底要什麼時候才能走出這段情傷？

淚眼朦朧中，他見到眼前的櫻花林中出現一個小小的人影。

人影越來越近，是個女人。

女人的表情有些歉疚，又有些擔憂。

她慢慢走過來，似乎身體不太舒服。

當她走到淺岡的面前時，她先輕輕咳了一聲，才用著滿是歉意的聲音對他說：「小司，媽媽身體不舒服，不能陪你玩了，對不起。」

「媽、媽媽？！」

淺岡驚訝地從地上跳起來，發現自己比眼前這個女人整整高了兩個頭。

女人抬起頭，依然滿臉歉疚，「小司，媽媽真的不能再陪你了。」

「媽媽……真、真的是妳？」

淺岡揉揉自己的眼睛，再努力看著眼前的女人。

小小的臉蛋，彎彎的眉眼，有些自然捲的頭髮，眼角處有著歲月的痕跡，的確是他記憶中的母親。

住進醫院之前的母親。

就在兩人相對的那一瞬間，淺岡的腦海裡飛快閃過一段記憶。

那是在母親病發住院之前，有一天他吵著想去看後山的櫻花，父親到大阪出差了，母親雖然看起來身體不太舒服，但為了不掃他的興，還是勉為其難地做了一些簡單的三明治，然後帶著他到後山去賞櫻花。

淺岡一路上蹦蹦跳跳，沒幾下就把母親拋在了後頭。

他來到櫻花林，高興得又叫又跳，還不耐煩地對著遠遠落後的母親抱怨：「喔！媽媽，妳動作快點嘛！快來幫我照張相片！這裡的櫻花好漂亮啊！」

母親在陡峭的山路上已經氣喘吁吁，她難受地撫著自己的胸口，走沒幾步就停下來休息一下。

「媽！妳真慢耶！」

淺岡不等了，自己一個人跑進櫻花林裡玩。

他隨手扯下一隻還未完全綻放的櫻枝，拿在手裡揮舞著，偶爾舉高揮撲著隨著花瓣飄落的蝴蝶。

他跑了好遠好遠，回過頭的時候，還不見母親。

這時候他有些擔心了。

媽媽呢？

丟下手裡的櫻枝，他往回跑去，卻到處找不到母親的蹤影。

媽媽是在和自己玩捉迷藏嗎？

想到這一點，他又高興起來，開始在每一棵樹後找著母親的身影。

這一棵，那一棵，下一棵……

咦？為什麼都沒有呢？

媽媽到底躲到哪裡去了？

「媽——」

孩子的叫聲又焦急，又有些氣惱。

媽媽怎麼可以丟下他一個人不管？真是太過分了。

「媽——媽媽——妳在哪裡？」

叫聲裡似乎含了一點哭音，不管多頑皮，失去了母親的孩子都會感覺到害怕的。

在淺岡急得眼淚都快要掉出來的時候，母親終於出現了。

她滿臉歉疚地提著裝著三明治的籃子，從山路的盡頭出現。

「小司，對不起……」母親的臉色很難看，幾乎完全沒了血色，可是在見到自己心愛的孩子時，她還是很努力地擠出笑容，「小司，媽媽身體不舒服，不能陪你玩了，對不起。」

淺岡連忙跑了過去，不死心地拉著母親的手。

「媽！媽！快點來嘛！裡面的櫻花好多好漂亮呢！還有蝴蝶喔！我們帶幾枝櫻花回家好不好，爸爸看了一定很高興。」

母親的臉上露出微笑，但眼睛裡卻蘊含著水光。

她也許已經知道了什麼。

「小司，媽媽真的不能再陪你了。」

「媽……媽媽……」

淺岡幾乎是無意識地喊著，他已經十幾年沒有喊過「媽媽」這兩個字了。

一面喊，淚水就像決堤一樣湧出，他好想像小時候那樣，受了委屈就跑回家，撲進母親的懷裡盡情哭鬧。

這個世界上，只有母親的懷抱能讓他感受到完全無私的幸福與被愛。

他遲疑著對眼前的女人伸出手，卻又停在半途。

這到底是不是他的母親？

他已經長大了，也長高了，這是他第一次用俯瞰的角度看著母親，他注意到母親的頭頂上多了許多白髮。

「小司，對不起。」

女人這樣說著，對他伸出了雙臂。

即使是幻覺，或著只是一場夢，他也不願再次錯過母親的懷抱。

他擁住女人，心情激動，什麼話都說不出來，只是一直哭。

媽，我真的好想妳。

女人沒有說話，只是用一隻手在他的後背輕輕拍著，另外一隻手心疼地撫著他的頭髮。

熟悉的安慰，熟悉的氣味。

泣不成聲的淺岡只是一直喃喃喊著「媽媽」兩個字。

他知道自己什麼都不用說，媽媽一定會了解自己的委屈。

因為她是媽媽啊。

這個世界上，只有她會永遠張開自己的雙臂，把自己溫暖的懷抱提供給失意的孩子。

淺岡緊緊抱著女人。

櫻花的花瓣翩翩落下，有一隻蝴蝶在其中飛舞。

淺岡醒來的時候，發現自己不知道什麼時候躺到了地上。

鼻子裡可以聞到土壤溼潤的氣味。

臉上、身上、衣服上都已經沾滿了櫻花花瓣。

眼睛腫腫的。

剛剛一定哭得很慘。

那到底是夢，還是幻覺？

可是母親的懷抱感覺起來好真實。

在那個懷抱裡痛哭的時候，他有一種如釋重負的解放感覺。

終於找到了一個人，能夠完全了解他的心痛與委屈，即使那個人只是抱著他，一句話都沒有說。

他沒有起身，就繼續那樣躺在地上，仰頭看著無盡藍天下不斷飄落的櫻花雨。

心中突然有了些領悟。

他其實只是怕被再次一個人丟下。

就像當年母親不見了一樣。

也許自己一直在尋尋覓覓的，是一個像母親那樣存在的女性。

對於男孩子，母親是他們在人生當中第一個遇見的完美女人。

她無條件地付出自己的愛，接納孩子所有的優缺點。

無怨無悔，直至自己的青春耗盡。

律子，或是其他的女人，都不能取代母親的地位。

她們也許是能陪自己走完一生的好伴侶，但她們不會像一個母親那樣無私接納所有的自己。

如果自己不去改變，而只是寧願守著那樣的溫柔，那麼遲早有一天，她們都會忍不住想要離開自己的吧？

淺岡覺得自己似乎看開了。

雖然心裡還是有些空虛，但至少他現在覺得自己不是無人可愛。

他仍然可以愛著自己的母親，他也知道，如果母親仍在世上的話，她也會那樣愛著自己。

人死之後並不是就那樣煙消雲散了。

還有記憶。

雖然是悲傷的記憶，可是在被那樣的悲傷洗滌之後，整個人會變得清澈起來。

櫻花雨仍然翩翩落落，一隻蝴蝶在其中飛舞。

他伸出手想要抓住那隻蝴蝶。

蝴蝶飛走了。

他的手仍停在那兒。

好久好久都沒有放下。

「好像該重新開始了呢……」

淺岡這樣說著，然後發現那隻蝴蝶自己飛了回來，停在他的手上，輕輕撲翅。

「媽，我愛妳。」

那樣說著的時候，他的視線又模糊起來。

他好像看見了，在櫻花林中的母親，對著他露出了欣慰的笑容。

小司，我也愛你。

我會一直一直愛你。

你不是沒有人愛的孩子，所以千萬不要氣餒喔。

離開酒店的時候，天已經微微亮了。

淺岡拿出公事包裡的手機，將律子的電話記錄完全刪除。

他不是要遺忘她，或是完全拋棄兩個人之間的過往。

那是不可能的，因為律子曾經是自己生命的一部份。

他只是要放下她。

只有放下她，他才能繼續往前走。

很多年以後，他才會回頭看待這段過往。

他現在還不知道，在那麼多年以後，他會用什麼樣的心情來解讀這一段往事，也許會有遺憾，也許會有感嘆，但他知道，不會是怨恨。

如果不是與律子分手，又沒有來這家酒店走一回，他永遠都不會知道，自己真正想要的到底是什麼。

這就是心靈上的成長吧？

和身體的成長不同，心靈上的成長總是先從痛苦開始，痛得讓人幾乎想死，但是熬過來之後，便是海闊天空。

在把手機放進公事包之前，他猶豫了一會兒。

然後他撥了一通電話。

他想，他還得感謝一個人。

電話鈴聲響了很久，最後終於被一道不耐煩的聲音打破。

「誰啊？」

很低沉的一道聲音，而且聽起來心情不太好。

「長瀨，一起吃早餐吧？」

電話那頭沉默了一會兒，然後像爆炸似的聲音傳了過來——

「淺岡！你有病啊！現在是早上五點耶！五點啊！你這麼早起來不睡覺做什麼？我今天可是要連開三場業務會議耶！」

淺岡可以想像長瀨氣炸的模樣。

他原本是想向她說聲謝謝的，但是現在可能不是好時機。

「妳今天沒空就算了。我請客喔。」

「你請客了不起啊？沒事別煩我，我要繼續睡了。」

「長瀨。」

「啊？」

爆炸過後的聲音因為強烈的睡意又明顯變得慵懶無力起來。

「謝謝。」

「喔，不謝。」

長瀨掛上了電話。

淺岡相信她大概不記得自己最後回了什麼話。

長瀨一向就是個貪睡鬼，起床氣又重，睡一覺就能忘記很多事情，大部分都是不快樂的事情。

太陽光芒漸漸出現了。

又是新的一天。

淺岡決定先回家去梳洗一番，然後今天請一天假。

他想回老家去掃墓，去看看母親。

他還有很多話想要對母親說。

在回家的路上，他覺得自己的腳步輕盈了一些，也許是在心裡一直沉積的什麼終於被昨晚的淚水溶化了，跟著他的淚水一起蒸發。

終於能重新開始了。

真好。

不倫之戀

Room R13

R1

西園寺（舊姓）梓，三十七歲，家管。

告別式。

穿著黑衣的人們聚集在一起，低頭細語。

男人和男人聚在一起，女人和女人聚在一起。

兩個性別，兩個團體，就像油與水一樣完全不相容。

連談論內容的角度也天差地遠。

女人的內容是這樣的——

「聽說，江藤先生在醫院往生的時候，江藤夫人難過地痛哭失聲。」

「是啊是啊，還一直喊著他死了，她該怎麼辦呢？」

「要是不明瞭內情的人看到這幕，大概會以為他們夫妻情深吧？」

「咦？難道不是嗎？」

「噓，小聲一點，妳難道不知道嗎？」

「怎麼回事？」

「江藤先生其實一直外遇不斷哪，結婚後沒多久，就沒回家過夜了，外面的情婦從沒少過，真是過分！」

女人這樣說著，一面露出厭惡的表情。

相對於女人的談話內容，聚集在角落處的男人們是這樣談論的——

「江藤這小子真是會享福啊。」

有些酸溜溜的語氣，但卻藏不住羨慕。

「娶了個這麼賢慧的老婆不說，在外面的情婦更是一個比一個美麗。真虧得他有這本事，寫作之餘，還能在這些女人間遊刃有餘。」

「是啊是啊！上個星期，我們辦公室有個科長，還因為婚外情被降職呢！是他在外面養的那個女人不甘心老是做小的，跑到公司來鬧，才把事情鬧大的。江藤這小子看起來斯斯文文的，沒想到還真有手段，女人在他手裡都服服貼貼的。」

「他老婆真是好，這麼多年了都當作沒看見，還把家裡的事情處理得這麼好……依我看，要不是他有個這樣的好老婆，替他收拾善後，哪還有時間專心寫作，前幾年還得了『直木賞』呢！」

「你們有沒有聽說過，江藤在外面好像有私生子的樣子？」

「有，還不都是因為他老婆的肚子都沒動靜嗎……女人啊，沒辦法生孩子的話，價值就打了折扣呢，難怪他老婆這麼忍氣吞聲，對他在外頭拈花惹草，都只是睜一隻眼，閉一隻眼。」

相對於客人們樂此不疲的討論，喪禮的主角，江藤的未亡人妻子，只是靜靜跪坐著。

她臉上的表情沒什麼起伏，甚至是一種事不關己的淡然，讓人很難想像就是這個同樣的女人，在丈夫臨死前的病床前失心瘋似地哭喊著。

「江藤夫人。」

女人抬起頭，見到一個穿著整齊黑色西裝的年輕人。

「您好，我是保險公司派來的。想和您討論一下關於江藤先生的壽險事宜。」

保險業務員從西裝內側的口袋裡掏出一張名片遞給女人。

女人謝著收下了，將名片擱在一旁，也並沒有去注意。

她有些茫然地聽著業務員說明壽險內容，只知道丈夫死了之後，留下一大筆保險金額給她，起碼能讓她溫飽一輩子無虞。

所以說起來，日子好像也沒什麼差別？

只是少了一個丈夫而已。

而在很久以前，她就已經少了一個丈夫。

告別式快要結束的時候，那個男人才出現。

顯然是想要避開其他人的耳目，不想讓太多人發現自己的存在。

「江藤夫人。」

女人聽見這聲音，眼神閃爍了一下。

「松崎先生。」

她站起身，對著男人恭敬行禮。

「很遺憾發生這種事情。」

女人緩慢地搖了搖頭，也沒有再說什麼。

「有我能幫忙的事情嗎？」

男人的語氣變得更加柔和，彷彿帶著呵護的語調。

女人下意識地看了看四周，之後才說：「謝謝您。」

她抬起頭，兩人眼神短短交會，隨即又極有禮貌地輕輕低下頭。

「謝謝您特地來這一趟。」

「我很擔心妳。」

「學長……」

「梓，以後有什麼問題，別忘了找我。」

她不敢抬頭看他，因為她知道男人此刻的眼神有多溫柔。

曾經，她也在另外一個男人身上，體驗過這樣的溫柔。

她很想去相信那樣的溫柔，但是她卻不確定，當她相信了之後，那樣的溫柔是不是也會像自己的丈夫一樣，有一天消失。

而且消失得無影無蹤，讓她完全捉摸不定。

男人輕咳了一聲，收回溫柔眷戀的眼神。

「我剛好到東京出差，順道就來看看了。」

她輕輕點頭，示意自己聽見了。

「我就住在新宿附近的新王子飯店。」他遲疑了一下，「房間號碼是……」

說完後，他遲疑地望著仍舊恭順低垂著頭的女人。

她真的聽進去了嗎？

過了好一會兒，女人才幽幽地回答：「最近……不太方便……還在辦喪事期間……」

「我知道。」頓了頓，又補了一句，「別多想，我只是想來看看妳好不好，擔心妳需要人幫忙的時候，會找不到我而已。」

「謝謝學長。」

眼看似乎沒有什麼話好說了，松崎也只能告退。

臨走前，他又回頭望了女人一眼。

她依舊是那副柔順的模樣，嬌小的身子裹在緊緊的黑色和服裡，臉色憔悴，讓人看了忍不住就心疼。

但同時心裡也感嘆著，同樣都是三十多歲，為什麼她還能保持這麼好的身段與容貌？

男人想起遠在大阪的妻女，心中有一絲絲的罪惡感。

雖然，他什麼也沒做，但有時候精神上的出軌，要比單純肉體上的外遇更有殺傷力。

雖然，他真的什麼也還沒做。

他們是在大學裡認識的，同一個社團的學長與學妹。

松崎一開始就很喜歡她，但聽說她從小就和別人訂親了之後，便訥訥地打了退堂鼓，但卻又捨不得完全放手。

屬於別人的東西，近在眼前，總讓人有種想要去佔為己有的衝動。

他從來沒看過梓的未婚夫，只從她的口中知道，他是個很有學問的人，已經大學畢業，是個專職作家，似乎得過一些獎。

雖然表面上對訂親這種事嗤之以鼻，但松崎知道，在日本這個社會裡，門第的觀念還是佔了很重的分量。

梓也是出身書香門第，從小就浸淫在古典文學與音樂裡，氣質出眾，長相又秀麗，是許多男孩子心目中的情人典型。

可是好的東西，似乎總是早早就被別人定走。

大學畢業的那一天，梓沒有參加畢業典禮，因為那天剛好就是她的結婚典禮。

松崎領到了畢業證書，很想去看看穿著新娘服的梓，但是幾經考慮，最終還是沒有去。

他怕去了，只會增添自己的惆悵，因為那樣美好的東西竟不屬於自己。

之後他回到了大阪，找到了工作，和一個不錯的女人結婚，生下一個可愛的女兒。日子過得似乎很不錯，他雖然覺得日子有些平淡，但如果真的就這樣一輩子過下去，他也不會有什麼怨言。

直到他重新得到梓的消息。

那是以前一個同社團的同學，到大阪出差的時候告訴他的。

他說梓過得很不快樂，夫家雖然有錢有勢，但是丈夫卻頻頻搞外遇，外面的情婦數也數不完，徹夜不歸更是常有的事。

梓因為生不出孩子，在夫家更沒有份量，連公公婆婆都明著暗示她要忍耐，至少讓兒子能在外面找個女人生下子嗣，誰叫她的肚子一直不爭氣呢？

「有一次在一個文藝工會的酒會上，我看到梓和他的丈夫。看起來兩人感情還蠻不錯的樣子，怎麼想也想不到，那男人居然這麼混帳，把我們的梓就這樣丟在家裡不管。怪她肚子不爭氣？怎麼不怪他兒子沒用？一塊土地再肥沃，沒人去播種也長不出東西來啊！」

女同學說得十分氣憤，像是在為自己抱不平一樣。

事實上，她自己的婚姻也因為第三者的介入，而瀕臨破局邊緣。

「第三者！可惡！什麼愛情至上？什麼喜歡上了就是沒辦法？她們到底知不知道什麼叫做廉恥？為了自己自私的愛情，就去破壞別人的家庭，還說得這麼理直氣壯！這個世界到底是怎麼了？男人和女人要怎麼樣才能去真的相信對方？婚姻有用嗎？」

女同學一面說，一面猛灌清酒，不知道是因為酒意還是氣憤，她的臉越來越通紅，最後哭了起來。

「這個世界到底怎麼了嘛……我到底該相信什麼才好……什麼婚姻、責任的……根本就只是說好聽而已……」

松崎覺得有些尷尬，因為他是個男人。

在聽到梓過得並不幸福的時候，他的心裡的確浮現了以往不敢想像的一些念頭，而這讓他在這位女同學面前，更覺得有罪惡感。

這是人的天性，越得不到的，總是越忘不了。

但是等真正得到之後，又會發現完全不是那麼一回事。

夢中情人就只能放在夢中看而已，一旦要過現實生活，還是家裡的妻子實在。

可是他還是忍不住問了梓的連絡方式，然後趁著上東京出差的時候去找她。

前幾次都沒有成功，梓似乎並不很想見他。

之後，也許是他難掩失望的口氣讓梓覺得不好意思，終於答應了他，出來見面。

再見面的時候，他驚覺時間竟沒有在梓的身上留下什麼痕跡，化妝得宜的臉龐不仔細看，根本看不出是已經年過三十的婦人。

梓依舊是那麼優雅，只是眉間多了憂鬱的氣息，濃得化不開。

「我聽說了妳的事情，妳的丈夫……似乎很少回家。」

梓憂鬱地笑了笑，「這是大家都已經知道的事實。」

「梓……我……」

他的目光落在她的手上，依然那樣白皙，修長的手指上戴著一枚醒目的婚戒。

想要說的話又吞了回去。

後來，他常常利用到東京出差的機會去找梓，她能出來見面的機會依然不多。

直到這次，他知道了她丈夫去世的消息。

於是他對妻子說了謊，專程跑到東京來探望她；然後他又對梓說了謊，說自己是因為剛巧出差，才順便來看看的。
回到了飯店，他有些煩悶。
自己到底在做什麼呢？
千里迢迢跑到東京，還花大筆錢住最好的飯店，是不是期待會發生些什麼？
譬如難耐寂寞與悲傷的寡婦因此投入他這個有婦之夫的懷抱？
笨！你在想什麼？
他罵自己。
人家才剛死了丈夫，怎麼可能馬上就投入另外一個男人的懷抱？
她可是梓耶！
自己果然是笨蛋。

一個月之後，他再次來到東京。
這次和梓約在表參道。
天色已經暗了下來，他心不在焉地在酒吧裡喝著馬丁尼。
為什麼要約在酒吧呢？

以前不是都約在喫茶店或是一些高級餐廳裡喝下午茶嗎？
梓從來沒有在晚上和他見面，這是不是意味著什麼呢？
男人無法克制自己不去亂想，直到那股熟悉的氣息飄落在身旁。
「學長，抱歉讓你久等了。」
梓今天穿著白色的高領羊毛衣，合身的卡其色長褲，同色系的高跟鞋。她的頭髮剪短了，露出一張小巧的臉蛋，配上精緻的妝，看起來就是一個十分吸引男人注目的小女人。
他本能地瞄向她的手指，發現婚戒還在上面，不由得心裡嘀咕了一下。
難道她要戴著那婚戒一輩子嗎？
今天的梓感覺不太一樣。
好像不再那麼拘束，也不再那麼在意旁人的眼光。
好像解放了一樣。
「學長，今天晚上住在東京嗎？」
梓突然大膽地問，臉上的表情似笑非笑，塗得粉亮的雙唇彷彿在對男人做出無聲的邀約。

松崎感覺到自己的心跳不聽話地加快起來，他故作鎮靜地喝一口酒，卻覺得梓從頭到腳都看穿了他。

看穿了他心裡那齷齪的念頭了嗎？

梓和他坐在計程車上。

當司機問他們要去哪裡的時候，梓沒有回答。

松崎於是大著膽子，唸出了自己住的飯店。

兩個人都沒有說話。

松崎不知道梓是不是刻意保持沉默，但他自己卻完全不曉得該說些什麼。

這就是他想要的？

他偷偷覷著梓的表情，只見她雙手抱著自己的肩膀，似乎有點冷的樣子。

「冷嗎？」他問。

「嗯，有點。」

車窗外閃過一家女裝店，松崎突然要司機停車。

「走，我幫妳買件外套。」

梓「咦」了一聲，倒也沒反抗，乖順地跟著他下了車，一起走到女裝店裡。

他替梓挑了幾件外套，在她進去一一試穿的時候，他走到店外抽根菸，想讓自己放鬆一下。

不行，不能緊張，也不能把事情搞砸。

他又猛吸了幾口煙，再逼著自己緩緩吐出煙圈。

「先生。」

一個清脆的女聲突然響起，做賊心虛的男人，差點拿不穩手上的菸。

轉過頭，是一個可愛的小女生，手裡拿著一個籃子，裡頭放著滿滿的名片。

「先生，來看看吧。」

小女生從籃子裡拿出一張名片，嬌笑著塞進他的手心裡。

「您一定不會後悔的。」

她意有所指地說著，然後離開了。

一頭霧水的松崎愣了一會兒，才看向手裡的名片。

愛情酒店？

這不就是……

臉頰一下子熱了起來，這時梓已經選好了一件水藍色的女用外套，推開門走了出來。

他慌忙想將名片收起，卻被眼尖的梓瞧見。

「學長，那是什麼？」

本想隨口胡謅，但是他發現自己做不到，只好任由好奇的梓低下頭，端看他手裡的名片。

「時光隧道？愛情酒店？」

梓饒有興味地抬起頭看著他，臉上的表情看不出端倪。

她在想什麼？

她會怎麼做？

翻臉斥責他滿腦子不正經思想？

還是跟著他一起去這家愛情酒店……

梓輕輕拿起那張名片，男人能感覺到她修剪整齊的指甲輕輕劃過掌心，癢癢的，讓人的心也開始酥癢起來。

「就去這裡吧。」

她把名片放進了新買的外套口袋裡。

R2

那是一間並不起眼的小酒店。

兩人下了車，一起走進大廳。

因為酒店裡有暖氣，梓便把外套脫了下來，松崎很紳士地伸手接了過來。

酒店空無一人，只有一台販賣房間的機器，孤伶伶地豎立在那兒。

松崎見到販賣機上的價格，心裡咕噥著，這麼差的小酒店，居然要這麼貴？早知道就不該來這裡的，他住的飯店都比這裡豪華幾百倍。

他轉頭看著梓，只見她似乎並不在意酒店的裝潢或是擺設，臉上的表情不知道是茫然，還是在沉思著什麼。

他咬咬牙，在女人面前可不能裝窮，幸好今天身上還算帶足了錢，就難得擺闊一次好了。

放入紙鈔，販賣機吐出鑰匙，一隻纖細的手伸了過去，輕巧地將它撈起。

上頭的號碼是R13。

「我先進去。」

女人像是下足了決心，拿著鑰匙一轉身就走向酒店深處的走廊。

松崎卻有些遲疑。

男人的天性讓他想追隨過去，但身為丈夫與父親的道義責任卻讓他裹足不前。

眼前那越來越遙遠的背影，是年輕時的自己所追求的夢。

她的身段窈窕，姿色秀麗，因為未曾生育，歲月慈悲地沒有在她身上刻劃下太多痕跡，只是輕輕抹上成熟的女人味。

他的心狂跳。

她也是。

也許是因為壓抑了太久，又或許是，帶著報復的心理，所以今天才會來到這裡。

梓的手指將鑰匙握得死緊，指尖都沒了血色。

為什麼丈夫可以，自己就不行？

懷著這樣的念頭，她打開了房門。

後頭突然傳來男人的聲音：「妳先進去，我去外面抽根菸。」

男人在做這種事之前，都會先抽菸嗎？

梓這樣想著。

拿起了鑰匙，咬咬牙，像是豁出去般，她打開了門。

房間裡沒有很大的床、沒有鏡子，也沒有浴室，和她所認知的有很大的不同。

「這是什麼擺設……居然像酒廊一樣……」

房間異常空曠，左邊放置了一個雅緻的吧台，右邊則是一排排的絨布沙發以及圓桌，有的桌上還擺了一瓶喝了一半的酒。

怎麼沒有床？

這是最時興的賓館嗎？

她的眼光落在沙發上，隨即感覺到臉頰燒熱。

但是當她望到桌上一個像是隨意擺放的火柴盒時，臉色突然大變。

她走過去一把抄起那火柴盒，眼睛睜得好大，似乎不敢相信上面印出來的字。

怎麼會……怎麼會是這家酒廊？

她驚慌的眼神迅速地在整個房間裡打量著，越看越熟悉，儘管已經是近十年前的記憶，但那天晚上的一切她絕對忘不了。

是的，就是在這裡。

她的丈夫總是夜夜在這裡與女人廝混。

梓的丈夫自詡是一個文人，當然，得過直木賞的他的確有資格這麼自稱。

文人天生有浪漫的性格，他追求愛情，卻不滿於只擁有一個女人。

在他的認知裡，一個男人除了持家的妻子之外，在外面一定也要有所謂的「紅粉知己」。

妻子是妻子，他對妻子有責任與義務，但是妻子卻不會是自己的知己。妻子只是替他整理家務，與幫他傳宗接代的一個女人，她擁有「江藤夫人」這個頭銜就該知足了，因為那象徵著名譽與地位。

才新婚沒多久，他就開始晚上不回家過夜了。

梓一開始還會過問，丈夫也的確收斂了一點，但是當梓的肚子一直沒有下落時，丈夫變得更不愛待在家裡，整天不見人影是很正常的事情。

她當然會不高興，但丈夫總是說，他去酒廊是和其他同好一起討論寫作，不是像她想的那樣去玩女人與喝花酒。

身為一個妻子，她只有選擇相信。

但是當丈夫有一次整整半個月都沒有回家過夜時，她終於忍耐不住了。

她先去找婆婆，沒想到婆婆居然告訴她，男人就是這樣，妳應該慶幸他至少還顧著妳，沒有因為妳生不出孩子而把妳休了。

梓很吃驚，她沒有想到婆婆會這樣回答。

婆婆看著她的眼神，有著憐憫與輕蔑。

婆婆說：「這個社會是男人在主宰的，女人只是配角。不認清這一點，妳怎麼過日子？」

明明自己也是受害者，如今卻陪著男人一同來貶抑女人的身分，梓完全不能理解婆婆的心態。

她決定還是要去把丈夫給帶回來。

她從丈夫的西裝口袋裡找出印著酒廊名字與地址的火柴盒。

但是在酒廊門口的時候，她又膽怯了。

丈夫已經明白地說過了，他到這裡來是為了工作，不是為了玩樂，如果真的是這樣，那麼她到這兒來，豈不是會讓他丟臉嗎？

一個妻子是絕對不能讓丈夫丟臉的。

可是她又好想知道真相。

她不是不信任丈夫，只是害怕，害怕自己的想像成真。

就在她猶豫不決的時候，一個穿著和服的麗人從酒廊後門走了出來。

她帶著微笑，直接走到梓的面前。

「您是江藤夫人吧？」

麗人的聲音像是水一樣柔細，連身為女人的她，都覺得身體有些酥麻。

梓有些不知所措，但得體的教養還是讓她強作鎮定，極有禮貌地回應。

「是的。我的丈夫一直麻煩您，真是不好意思。」

憑著女人的直覺，她知道這位麗人應該就是丈夫的「知己」。

麗人的笑容更深了。

「不愧是江藤夫人，大方又不扭捏，長得又漂亮，果然是名不見虛傳呢。」

「我的丈夫提過我？」

梓的心裡有些竊喜，丈夫在這女人面前提過自己的存在？

那是不是表示，丈夫其實還是很在意自己的？

啊！她真不該懷疑自己的丈夫的！

麗人點點頭。

「會來這的每一個男人都是結過婚的，他們常常提起自己的妻子，以及孩子的。」

麗人說到最後一句的時候，眼神亮了起來。

她雖然只是個沒有名分的情婦，但是比起這位江藤夫人，她有一點絕對贏過她。

梓的眼神落在她平坦的小腹上，心口像是被人猛打了好幾拳。

麗人靦腆地笑笑，又說：「再過半個月，我就不能穿和服了，真是傷腦筋呢。」

梓的眼前一黑，幾乎要當場昏過去。

僅僅只是簡單的幾句較量，她就輸得這麼徹底。

心頓時亂如麻，儘管她不斷要自己冷靜，克制自己不要衝動，但她還是發現自己的背後正涔涔流著冷汗。

丈夫的確是背叛了自己！

她忿恨的眼神望向酒廊的後門，巴不得馬上衝進去好好質問自己的丈夫，這到底是怎麼一回事？

雖然婆婆早就暗示過她，自己的不孕是造就丈夫不歸的最大原因，但是當事實真相被這樣戳破的時候，她還是沒有辦法坦然接受。

她只是一個妻子，要的只是丈夫的忠誠。

如果丈夫不能忍受只愛一個女人，那麼為什麼又要自願走入婚姻的牢籠？

不，還是只有她走了進來？

夫家早就將她視為是一隻名貴的籠中鳥，等著她走進這華麗的牢籠，看她在籠裡孤單衰老一生？

男人就是天，女人只能是地，被踐踏被蹂躪，甚至被拋棄，都不能有怨言嗎？

「江藤太太。」

麗人又喚她。

「既然來了，要不要進去坐坐？」

她的笑容裡有著淡淡的挑釁。

誰都知道，只有男人會來這種酒廊，女人來都只是要找回自己的丈夫。

這樣的邀約不啻為對梓的一種污辱。

過度的激動反而讓梓快速冷靜下來。

她淺淺一笑，反將一軍，「不了，我還得回家去。身為江藤太太，有很多重要的事情，只有我能幫丈夫處理。」

兩個女人相視微笑，暗裡波濤洶湧。

沒有人知道，當麗人從容由酒廊後門回去時，梓並沒有馬上回家。

她趁著四下無人時，也偷偷從那扇後門溜了進去。

她只是想看看丈夫一眼。

其實她是很想他的。

她低垂著頭，快速走過廚房，來到酒廊內部。

梓一眼就看到自己的丈夫，他在人群中是多麼耀眼。

俊朗的眉目，含笑的嘴唇，梳得服貼的頭髮，還有總是乾乾淨淨的襯衫……那件襯衫是誰幫他燙的？

他知道丈夫是個根本不做家事的人。

她像縷被人忽視的幽魂一樣，與陰暗的角落融合在一起，沒有人注意到她。

於是她目睹了在自己面前總是彬彬有禮的丈夫，如何熟練地與酒廊的小姐、媽媽桑調笑。

同桌的還有幾位男人，她認得他們，那些都是丈夫的文友，有好些還曾經到家裡來坐過。

那些正經的男人們到了這裡就全變了樣，一個又一個地大笑、喝酒、抽菸，談論著不著邊際的話題，簡直就像只會清談的知識份子。

她不相信在這種場合，男人們真的能想到什麼寫作的好題材，這只是藉口，只是男人不甘於只擁有一個女人的差勁藉口。

她看見丈夫手指上的婚戒在燈光下閃著，也見到剛剛那位麗人的眼神總是時不時關注著那抹閃光。

對丈夫而言，自己與他的聯繫，不過就是那枚單薄的婚戒吧？

而已經擁有了丈夫的愛的那個女人，卻仍那麼執著在那小小的戒子上，其實，也很悲哀。

梓面無表情地看著這一切，她並沒有哭。

哭泣有什麼用？

如果哭泣就能讓丈夫從此只守在自己身邊，那她絕對不會吝嗇自己的眼淚。

可悲的是，她太知道自己的無能為力，於是連哭泣的力量都省了。

男人可以外遇，為什麼女人就不行？

梓不是沒想過以牙還牙，但是她的身分，以及從小所受的教育，都讓她只能咬牙切齒地空想，卻不敢付諸行動。

甚至，連想都會讓她有罪惡感。

她已經被教育成要完全服從丈夫的女人。

一天一天過去，因為什麼都不能做，於是她要自己學會不在乎。

不在乎丈夫夜夜不歸。

不在乎婆婆的冷嘲熱諷。

不在乎丈夫回來時那滿身的女人香味。

最後她甚至親手打理丈夫外出不歸的衣物，只因為她想，也許丈夫在換穿這些自己為他準備的乾淨衣物時，還能想到她。

想到她這個髮妻。

人說結髮夫妻，她對丈夫畢竟有分情。

可是她的丈夫啊，卻越來越不願意將眼神留駐在她身上，即使她努力將自己打扮得更漂亮，操持家務，但還是換不回丈夫的欣賞與肯定。

於是她絕望了。

心想，這說不定就是自己的一生了？

穿著美麗的和服，頂著高尚的「江藤夫人」的頭銜，住在這美麗的籠子裡。

說不定，將來丈夫還會從外面帶回來一個不認識的女人生的孩子，交代她要好好照顧，當作自己的孩子一樣。

她常常哀傷地看著自己平坦的小腹，這一切，真的都是自己的錯嗎？

然後她會抬起頭，看著無垠的天空，總是有三三兩兩，或是成對的鳥兒飛過那片藍色。

自由。

無拘無束。

她到底為什麼，被困在這裡呢？

R3

時間好像過得很快，又好像過得很慢。

等到她回過神來的時候，竟是匆匆十六年過去了。

丈夫的死訊來得這麼突然，而他即使是死了，也沒選擇死在家裡，而是在外邊女人的床上。

是急性心肌梗塞發作。

他的情婦著急地打電話到家裡來，要她趕快去醫院急診室見丈夫最後一面。

她趕到醫院的時候，丈夫已經嚥下了最後一口氣。

她先是呆愣了半天，等到確定那方白巾下的面孔，真的是自己的丈夫時，她終於像歇斯底里地哭喊起來——

「你怎麼可以就這樣走了？你太自私了！你死了，我怎麼辦？」

她甚至用力搥打著那已經冰冷的遺體，像是要把所有十六年來的怨怒全發洩出來。

她恨、她怨，即使是死，這個男人也不願意回到自己身邊來！

她這十六年來忍的是什麼？

為的又是什麼？

還不是全為了他？

如果不是因為愛他，自己為何要忍受這一切的屈辱？

如果……不是因為愛他……

震驚之中，她停住了動作。

她……愛他……

原來她甘願無怨無悔地替丈夫守著那個家，是因為，她愛他。

認知到這個事實，她的心情十分複雜，連哭泣都忘了。

她是什麼時候愛上丈夫的？

為什麼此刻她一點都想不起來？

她呆呆地看著丈夫的遺容，心口堆著千言萬語，卻一句都說不出來。

她愛她的丈夫。

這原本就是天經地義，不是嗎？

一個妻子必須忠貞地愛著自己的丈夫，如同女蘿纏繞在強壯的喬木上，傾盡自身的所有。

可是在知道原來自己藏有這樣一份愛之後，隨之而來的，卻是愛情的消逝。

如果把她的愛情比喻做冰，隨著丈夫的疏遠，那冰開始漸漸融化，最後只剩下薄薄的一層，近乎透明。

如履薄冰。

也許很快這片冰就要破裂，但丈夫的死亡只是在冰上投了一塊石頭，冰霎時裂了，那嘩啦嘩啦的聲音提醒了她，原來自己的心裡還有這樣的一塊冰。

只是知道的時候，冰已經裂了。

裂了，就沒了。

當她發現自己原來愛著丈夫的時候，這份愛情也隨之消失了。

她一點都不遺憾，只是有些惆悵。

她不知道，自己在那十六年裡，都不曉得自己是愛著丈夫的這件事，到底是好，還是不好？

如果早就知道了，她一定會活得更痛苦吧？

在醫院那次痛哭失聲後，她就再也沒有掉過眼淚。

葬禮上、告別式上，她都是一副無所謂的神情，惹得婆婆十分不高興，認為她是個寡情的女人。

胳臂都是往內彎，婆婆難道就不嫌自己的兒子薄情嗎？

梓抬起疲累的眼皮，再次看著相框裡那個男人。

自己到底是什麼時候愛上他的呢？

梓頹喪地坐在一張沙發上，雙手捧住自己的臉。

這酒店怎麼這麼奇怪？

還是她又回到了那家酒廊？

可是酒廊裡怎麼都沒有人呢？

這兒安靜得連自己呼吸的聲音都聽得一清二楚，沉靜到讓她感到不安。

原本還對學長的態度有些遲疑，但現在她反倒希望說要去抽菸的男人能快點進來了，不然她簡直要被這莫名的沉默給逼瘋了！

「哈哈哈哈——」

男人爽朗的笑聲突然傳來，梓嚇了一跳，整個人從沙發上跳起來。

她猛地轉過頭，就見到自己身後的那張圓桌上不知道什麼時候已經坐滿了人，男人與女人，那笑聲就是其中一個男人發出來的。

「唷，江藤先生，什麼事情這麼開心哪？」

女人甜得膩人的聲音纏上男人的笑聲。

「見到妳當然開心。」

「什麼啊，江藤先生明明家裡就有賢慧的妻子了，還沒事跑來我們這裡，不太好吧！」

「妻子是妻子，妳是妳，那是不一樣的。」

梓站了起來，走到男人面前，但男人並沒有發現她。

她看見男人手上的婚戒，在燈光下閃著光澤。

「哪裡不一樣呢？」

女人繼續媚著聲音問，另外一隻手不忘端上一杯酒。

「妻子是替我守候著家的女人。」

「那您就是嫌我們不正經就對了，是不是？」

女子作勢斜睨著男人，一臉埋怨模樣，一雙塗得紅亮的櫻唇微微噘起，看起來十分誘人。

男人又朗聲笑起來，接過酒杯的那隻手不忘在女人塗著白粉的臉上輕輕摸一把。

梓發現自己氣得全身發抖。

這就是她丈夫在酒廊裡的模樣？

根本就和在家裡的正經形象完全不同！

丈夫對她只有相敬如賓，哪會這樣打情罵俏？

太可惡了！

可惡的男人！

她氣得拿起桌上的酒瓶想要往男人頭上砸去，眼睛一花，發現丈夫身邊換了一個女人。

那個女人她見過，就是那個穿著和服、從酒廊後面出來招呼她的麗人。

「江藤先生……」

麗人毫不避諱地膩在男人身上，美麗的鳳目裡滿是愛戀地看著他。

「您喜不喜歡我？」

「當然喜歡，不然何必點妳呢？」

「是嗎？有多喜歡？和喜歡您妻子一樣喜歡嗎？」

「說什麼話，妳和妻子是不一樣的。」

「是嗎？哪裡不一樣。」

麗人的眼光落在男人手指上的婚戒，又看了看自己的肚子。

「妻子，就是妻子，我這一輩子只會有一個妻子。」

「但是卻會有很多女人，是不是？」

麗人像是有些生氣，又像是有些嫉妒，她睨著男人的眼神既無奈又失望。

梓見到了她的眼神，突然為她感到心酸。

她明白了麗人也許根本沒有懷上丈夫的孩子。

但是梓知道，這個女人的確是愛著丈夫。

畫面又一轉，又是另外一個女人陪在丈夫身邊。

梓慢慢放下酒瓶，乾脆坐了下來，看著丈夫與這些女人調笑。

女人換過一個又一個，幾乎每個女人都會問：「我和您的妻子，有哪裡不一樣？」

丈夫每次總會說出一個不一樣的答案，而每個答案，總會讓那些女人露出失望又妒羨的神情。

梓苦笑起來。

她們在羨慕什麼？

她只是一個空有名號的『妻子』而已，就像男人參加正式宴會時才會記得穿上的豪華外套，其他時候，這件外套都小心翼翼地收在家裡，不讓人看，也不讓人碰。

梓發現自己不知道什麼時候坐到了丈夫身邊，剛剛拿起的酒瓶轉眼又到了手上，她正為身旁的丈夫倒著酒。

「妳叫什麼名字？」

身旁的男人吐出一口煙，略帶著魚尾紋的眼角彎起，笑眼瞇瞇地看著她。

「梓。」

她想，自己好像從來沒見過丈夫這樣的神情。

「啊，妳和我的妻子同名。」

他拿起酒杯，喝了一口酒。

「很好聽的名字。」

梓突然覺得有一股強烈的衝動，想要脫口問出那個問題——

「那麼，請問您的妻子和我，有什麼不同？」

她又聽見了男人的笑聲。

「雖然名字一樣，但人卻是完全不一樣的呢。」

「哪裡不一樣？」

梓幾乎是屏著呼吸在等待答案。

「妻子就是妻子，是我一輩子都會放在心裡的女人。妳們，只會是過客。」

梓扔下了酒瓶，丈夫不解地看著她。

「你騙人！你騙人！什麼妻子是替你守候著家的女人！是你一輩子都會放在心裡的女人！如果你真的在乎我，會這樣對我嗎？」

她氣得全身發抖，她完全不能理解，男人所謂的浪漫與風流到底是建構在怎麼樣的思想體制下？

他們憑什麼有權利將一個女人鎖在自己的金籠子裡，想到的時候才會去逗一逗？

「你騙人！你騙人！你到底愛不愛我！你說啊！你說啊！」

她像瘋了一樣地大喊大叫，聲音帶著哽咽。

一面喊，一面淚水就不斷流了出來。

她其實早就想這麼問丈夫了。

「你到底愛不愛我？求求你告訴我啊……你到底愛不愛我……」

丈夫沒有回答。

那些女人的聲音又一個一個飄了過來，輪流與丈夫調笑著，那聲音聽起來竟像是嘲笑她。

「我恨你們！我恨你們——！」

好恨！好恨！

好恨……真的好恨……

真的好恨……

她蹲在地上，無法自己地哭著，突然她聽見了丈夫的聲音——

「梓，是夏天才會開的花。花的顏色是淡黃色的，很漂亮。就像妳一樣。」

她一愣，抬起滿是淚水的臉龐，見到丈夫正瞇著眼，看著自己。

她想起來了。

她與丈夫的第一次見面，是在她考上大學的那一年。

還是未婚夫的他，特地帶著她到即將就讀的大學裡去認識一下環境，學校裡有一整排的梓木，雖然已經接近末夏，但還是有些淡黃色的梓子花開在樹間，在濃郁的綠色襯托下，看起來煞是嬌嫩可愛。

她緊張得不知道該說什麼話才好，他卻輕輕牽起她的手，抬頭望著那淡淡的梓子花，然後說了這句話。

她就是那個時候，愛上自己的丈夫的。

那就是一見鍾情吧？

知道自己的下半輩子，都將託付在這個男人的手裡，心裡就漾起一股甜蜜。

她想，他會是個好丈夫的。

「梓，妳永遠都是我的妻子。」

丈夫的聲音又傳來，淚眼朦朧中，她看著丈夫對自己伸出手，手指上的婚戒閃著光芒。

「妳恨我嗎？」

她愣住了。

恨？

「是的，我恨你。」

燈滅了，視線被黑暗侵佔。

一切又歸於寂靜。

梓仍蹲在地上，但已經哭累了，她的肩膀一抖一抖的，只剩下微弱的抽噎聲。

說出「我恨你」之後，整個人就像是被抽乾了一樣，軟綿綿的一點力氣都沒有。

等到腦袋漸漸恢復運作之後，她冷靜了下來。

心境異常清明。

她已經愛這個男人愛了十六年了，難道她還要把自己剩下的歲月，都浪費在恨他這件事上嗎？

不，當然不。

她是有怨恨，但那應該就像她對丈夫的愛一樣，一起伴隨著消逝。

恨，是因為有愛才會產生的。

沒有了愛，只有恨，又有什麼意義？

那個讓她愛恨交織的男人，已經帶著她的愛與恨，離開這個世界了。

她的籠門已經鬆了，只要自己再努力一點，就可以掙脫了。

梓走出房門的時候，松崎已經走了。

酒店外頭留了一堆菸蒂，可見他在外頭大概已經抽完了一整包菸。

他最終還是沒有走進去。

梓疲累地笑了笑，她知道自己臉上的妝一定哭花了，但是整個人卻覺得很清爽，就像被自己的淚水洗得乾乾淨淨。

松崎是坐最後一班車回到大阪的。

他感覺自己像在逃難，因為怕自己真的把持不住，所以想要趕快逃離東京，逃回自己的妻女身邊。

他覺得自己就要跳下懸崖了，雖然懸崖下頭的景色很美，就像他夢中的一樣，但是他卻又害怕掉下來之後，會屍骨無存。

所以急切地想要抓住一些熟悉的什麼，讓自己不要真的掉下去。

在新幹線上，他想起剛剛的情景，不禁又為自己捏了一把冷汗。

如果真的跳下去了……那就是糾纏不清了。

他沒這個膽量。

而且他發現，夢中的女人，並不會是心目中的那個女人。

擺在心上的女人，只有妻子。

回到家的時候，大家都已經睡著了。

他靜悄悄地走進自己的臥房，見到妻子睡在床的左側，把右側留給了他。

心裡頓時鬆了一口氣，好險，他並沒有真的做錯事。

他把梓的水藍色外套也帶了回來，隨手就放在床邊。

還好他把女裝店的袋子也帶了回來，如果妻子問起，就說是一時興起買給她的禮物就好了。

雖然他什麼都沒做，但是身為男人的小小自尊心，還是讓他特意留下了這件紀念品，隨時提醒他，自己也曾經有過那樣的機會，雖然一開始是他有意，最後也是他自己狼狽地逃回來。

他同時也矛盾地，把那件外套當作提醒自己差點犯下所謂「一般男人都會犯的錯」的警告。

為了那個晚上而不由自主地沾沾自喜，卻又時時警惕自己。

很矛盾，卻是人性。

這是他的祕密。

執子之手

Room T19

T1

松崎潤一郎，八十七歲，無業。

老人總是很沉默，甚至有些陰鬱的氣息。

從沒有人見過他笑，即使是見到當年剛學會走路的小曾孫女麻美，老人也僅僅動了動眉毛，臉上仍然沒有什麼表情。

家人早已習慣老人的存在，而左鄰右舍對於這位孤僻的老人，從一開始的客套親近，在被那張撲克臉擺多了臉色之後，也慢慢變得冷漠與疏遠起來。

有人說，老人是因為自卑，所以才將自己封閉起來，不願意和任何人打交道。

老人曾在滿州國服役，中國東北那塊遼闊的土地。

當尊貴的天皇陛下透過廣播宣告日本戰敗時，許多軍官當場匆忙披上白衣，切腹自殺。

但是老人沒有。

他換下了軍服，混雜在準備遣送日本僑俘回國的哈爾濱火車站裡，想要偷偷回到日本。但是最後他卻被兇惡的俄國軍人抓去西伯利亞勞改。

這一去就是十五年。

冰天凍地的十五年。

他居然熬了過來。

再次踏上日本土地的時候，人事已非。

妻子已經過世了，僅留下一個遺腹子。

他看著已經快要成年的孩子，在奶奶的鼓勵下，禮貌又拘謹地走向自己。

他面無表情，卻聽見自己的身體裡面有什麼東西正在碎成一片又一片的聲音。

孩子走了過來，喊了他一聲「爸爸」。

但是他沒有哭，也沒有去擁抱自己的孩子。

從此他再也沒有笑過，甚至，連話都說得少了。

「麻美，去問曾爺爺晚餐要不要出來一起吃？」

盡責的媳婦在廚房喊著孫女去請公公出來吃飯，儘管自從她嫁進來之後從來沒見過他與家人同桌用餐。

房間裡傳來女孩子清脆的應答聲，然後是咚咚咚的腳步聲跑下樓。

月子搖搖頭，心想這個孫女怎麼一點女孩子樣都沒有，粗魯得像是男生。

「曾爺爺，要不要和我們一起吃飯？」

麻美偷偷推開老人房門口的紙門。

果然，又見到曾爺爺捧著一張紙，愣愣地看著。

「曾爺爺？」

又喚了幾聲，老人才像是突然被驚醒似地回過神來，他轉過頭見到麻美，臉上有一種驚訝又像是做什麼事情被發現的窘困。急忙收起手上的信紙，老人依舊板著一張臉。

「不用。把東西拿過來就好。」

「喔，知道了，我等下就去端過來喔。」

幾十年了，都是這個答案，從來沒變過。

直到確定曾孫女的腳步聲遠去，他才又小心翼翼地拿出那張紙。

過了良久，他喃喃地問著自己——

「我到底……是為了什麼而活著呢？」

那張紙因為年代久遠，已經發黃薄脆，老人滿是皺紋的手輕輕拂拭著紙張上墨黑的娟秀字跡。

執子之手：「與子偕老」。

那封信，是妻子寫給他的信，十五年來他時時刻刻都帶在身上。

「奶奶，我要出門了。」

麻美一面喊著，一面匆匆經過曾爺爺的房門口，準備把吃完的餐具收到廚房。在她彎腰拾起餐具的那一瞬間，有一張小小的紙片從她水藍色外套的口袋裡掉了出來，好巧不巧地，紙片就那樣滑過了紙門與榻榻米之間窄小的縫隙，滑進了這個家族裡那神祕幽暗，像是藏著什麼的地方。

藏著悲傷回憶的地方。

又在看著那張信紙的老人，已經變得遲鈍的感官在這時突然敏銳起來，感受到身後有不屬於這個房間的東西闖了進來。

瞇著老花眼，他回頭尋找，終於發現了在陰暗房間裡，白到幾乎發亮的小紙片。

「哪裡來的垃圾……」

老人慢慢站起，走到紙片前又慢慢蹲下，伸出枯瘦的手拾起那張「垃圾」。

老了，真的老了。

身體僵硬不說，連站起、蹲下這麼簡單的動作，都讓他覺得十分費力。

這樣的自己還活著做什麼呢？

卻偏偏又死不了。

「愛情酒店？這是什麼東西？」

老人難得露出一絲好奇心，對著紙片——其實是一張名片——上的字句打量起來。

叫做「時光隧道」的愛情酒店？

就是那種帶女人去辦事的賓館嗎？

老人雖然幾乎把自己與外界隔絕起來，但這種基本的「常識」他還是有的。

幾乎是嗤之以鼻地將名片往垃圾桶的方向一扔，但肌肉退化的手臂一軟，名片像是蓄勢待發的飛機突然沒了燃油一樣，歪斜無力地又飄回他的腳旁。

也許是孤寂太久了，老人對那儘管被自己遺棄，卻仍想到回到自己身邊的名片，起了一點點的好感。

於是又把名片拿起，細細端詳。

反正閒著也是閒著，一張小小的名片能讓他花上一點時間也好。

「在東京嗎？喔……大阪也有分店……」

越看，竟越想知道這是個什麼樣的酒店。

有時候很難去解釋人為什麼會對某一樣東西感到興趣，但也許是老人的生活已經太久都沒有新鮮的東西，所以這不小心闖進來的名片勾起了他塵封已久的好奇。

又端詳了一會兒，老人的臉又恢復平日的冷漠。

無聊的東西。

想再次把名片丟到垃圾桶裡，想了想，卻將它和那張信紙擺在了一起。

他擁有的已經太少了，多增加一些東西，至少感覺不會那麼寂寞吧？

那張名片上的地址，像是擱在了他的心上一樣，撢也撢不掉。

看得久了，居然真的想要瞧一瞧那是個什麼樣的地方？

已經好久……沒有離開這個家了……

上次離開這間屋子，好像是兒子結婚的時候吧？

想起那熱鬧感傷的婚禮，就不禁遺憾妻子沒能來得及看到兒子長大成人，娶妻生子，而且還有了孫子，然後又有了曾孫女……

如果她還在世，一定會很喜歡那個古靈精怪的小麻美。

「時光隧道……時光隧道啊……」

喃喃地唸著名片上的名字，低沉的語調像是在徵求什麼人的同意似的。

「算了，無聊的東西。」

老人再次把名片擱下。

「咦，公公，您要出門啊？」

月子驚訝地看著難得裝扮整齊的老人，出現在玄關。

「怎麼也不和我們說一聲？可以要阿透送你去啊。」

老人只是揮了揮手裡的拐杖，臉上露出不耐煩的臉色。

「我自己叫了計程車。」

「要不要我陪您出門？」

老人家畢竟年紀大了，一個人出門總是讓人不太放心。

老人臉上不耐的神情更甚，沉默著走了出去。

月子不放心，跟著來到門口，果真見到有輛計程車已經停在那兒。

這到底是怎麼回事？

她還以為公公大概到死都不會踏出這間屋子，怎麼今天突然精神這麼好，自己叫了計程車要出門蹓躂？

原本合身的衣物裹在老人的身上，顯得空蕩蕩的，竟有種孩子偷穿大人衣服的錯覺。

月子心裡嘆了一口氣，上前攙扶住老人枯瘦的臂膀。

聽說公公從前是個軍人呢，她一面扶著明顯不太情願別人幫忙的老人，一面偷偷想著。

仔細地向司機先生叮嚀了好幾次，務必要好好照看老人，將他平安送回家之後，她才肯讓車子駛離。

望著遠去的車影，她納悶著，老人究竟是要去哪裡呢？

真的好突然啊。

難道是去掃婆婆的墓嗎？

可是，這麼多年他都沒有去過那裡，為什麼現在又突然想要去了呢？

看來老人家的心裡藏著許多祕密啊。

是不是就是因為藏了那麼多無法說出的祕密，所以才讓自己變得孤寂安靜，連話都說得少了，免得一不小心，就把祕密給說了出去呢？

這個城市變了很多。

高樓大廈，寬廣的馬路，不時飛過天空的飛機，高高的電線桿。

更多的是人，很多很多的年輕人。

這讓老人更覺得有一種想要馬上逃回家的衝動。

他不應該出來的。

他並不屬於這個世界，他的存在是格格不入的。

好幾次他想用拐杖去敲司機的座椅，要他打道回府，但還是忍了下來。

忍住，要忍住。

總覺得只要一直忍耐，就可以等到自己一直在等待的什麼。

心裡突然有了這種感覺。

終於在彎進一條安靜的巷子之後，車子停了下來。

司機下來替他開門，老人突然有些莫名興奮，就像一個孩子第一次看到窗外的世界一樣。

那是一間並不很起眼的建築物，和巷子裡其他的建築物並無特別分別，而且連招牌都沒有。

真的是這裡嗎？

會不會找錯了地方？

剛毅無表情的臉上露出一絲絲的失望，但隨即又掩飾起來。

司機這時走到門前，替老人打開了門，請他進去。

老人挺直了胸膛，拿著拐杖，慢慢走了過去。

裡頭空無一人。

這到底是什麼奇怪的「酒店」？

連個櫃台和迎接的客服人員都沒有，只有一個奇怪的、像是路上隨處可見的販賣機一樣的東西，上頭還寫著幾個字——

「為慶祝大阪分店開張，開幕期間一律免費！」

免費？有這麼好的事情嗎？

老人從鼻孔裡哼出一聲，又看了看空空蕩蕩，連像樣裝潢都沒有的「酒店」，心裡除了失落，還有對自己的鄙視。

何必為了一張名片還特地跑來這種地方？

真是浪費時間。

雖然，他的時間似乎總是用不完。

在他轉身要離去之際，一聲細微的金屬撞擊聲引起了他的注意力。

又是那種感覺。

明明自己的耳朵早就不行了，為什麼此刻卻敏銳得似乎連最細微的空氣流動都能聽得見？

很急促、很紛亂的流動，讓人的心不自覺地慌了起來。

那感覺那樣熟悉，竟讓他驚得不由自主後退幾步。

這一退，眼光剛好落在了那台奇怪販賣機上，見到有一把鑰匙落了下來。

鑰匙上頭別著一張小小的標籤，拿過來放在眼前，才看清那是『T19』。

似乎是房間號碼。

枯瘦的手指拿著鑰匙左瞧右瞧，老人最後決定去看看究竟。

往大廳裡唯一的走廊走去，走廊左右兩邊都是門，上面都是T開頭的號碼。

T19位在走廊中央的左邊，那是一扇沒什麼特別的門。

老人覺得自己的心又開始慌了起來。

又是那種急促紛亂的空氣流動感覺，他幾乎想要拔腿就跑。

但可笑的是，如今他的雙腿已經消瘦無力，無法帶著他逃離這個地方，一如當年帶著他逃離那塊戰亂的土地。

握著鑰匙的手抖得更厲害了。

突然輕輕「喀」的一聲，門自動開了。

所有紛亂的氣流瞬間消散，一瞬間世界又恢復了寧靜和平。

老人突然吐出一口大氣，他這才發現自己剛剛居然屏住了呼吸。

消失了嗎？

他慚愧地發現自己居然驚出了一身冷汗。

望著那已經開了一條縫的門，他猶豫了許久，最後，終於推開。

越去逃避自己害怕的事物，只會讓自己與所害怕的東西更接近、更糾纏不清。

他突然領悟到，他已經老了，也不用再怕了。

既然他連死都不怕了，為什麼又要害怕那些記憶？

老人張口結舌。

房間裡面居然是一個火車站！

他驚訝地暫時忘了自己蒼老的身軀已經不再靈活，快速地在車站裡四處奔走，東張西望，空曠的車站裡，只有拐杖的聲音突兀地在地板上響起。

一下又一下，很急促地，像在著急地尋找什麼。

為什麼沒有人呢？

他記得那個時候，整個火車站裡都擠滿了人，老的、小的、男的、女的，全都穿著單薄的衣衫，在北國寒冷的天氣中瑟瑟發抖。

他們的衣服不是拿去變賣了，就是全部脫下給年老的長輩與幼小的孩子。

營養不良的孩子在母親的懷抱裡啼哭著，因為長期逃難與飢餓的母親卻流不出乳汁，只有熱淚不斷落在孩子的臉上。

日本戰敗了。

曾經輝煌一時的滿州國瓦解，遠從家鄉渡海而來尋夢的人們被迫捨棄在美好新天地所建立的一切，等著被遣送回日本。

車站裡的人多到幾乎連站的位置都沒有，可是外頭還是不斷有人湧入。

他也在人群中。

在廣播中聽到天皇親自宣佈戰敗的消息時，除了驚愕，他竟然有一種解脫。不管怎麼樣，終於結束了。

這樣他就能回去了。

思鄉的強烈慾望讓他甘願苟且偷生，褪去了大日本帝國的制服，喬裝成一般僑民，混雜在人群中等著被遣返。

就要回去了。

他能見到真由美了。

老人彷彿又回到了六十多年前的那一天，他的手緊緊捉住了胸前上衣，就捉在心口的位置。

那裡有一個口袋，口袋裡放著那張信紙。
隔著薄薄的衣物，他緊緊捉著那張紙，彷彿那是他救命的浮木。
彷彿那是他所有生命的希望。

T2

像隻無頭蒼蠅在空曠的車站裡亂繞了好一陣子之後，老人終於累了。
他記起來自己已經八十七歲了。
身子不再年輕力壯。
事實上，當他再次回到日本的時候，他的身子就已經壞了。
西伯利亞的冰天雪地和無日無夜的勞動操壞了他的身子，只剩下一顆心還在溫熱地跳動著。
想要回日本。
想要回家。
想要見到真由美。

因為這樣，所以他努力活著。

一向無波紋的臉孔像是被什麼打碎了一樣，痛苦、悲傷、恐懼、思念等等的表情全部一股腦湧上，乍看之下竟像小丑的面具，扭曲又不真實。

人的臉上怎麼可能同時出現那麼多種表情？

老人走到月台邊，一時意亂，竟就這樣跳了下去，跌落在鐵軌旁，但他卻一點也不覺得疼痛。

兩條鐵軌。

他站在兩條鐵軌的中央，情緒激動不已。

就是在這裡……就是在這裡……

就差那麼一點啊……

他和真由美是鄰居，從小青梅竹馬。

每到黃昏，孩子們替大人做完家事之後，便會各自去找自己的小玩伴。

他和真由美總是約在她家後院的那棵梧桐樹下。

真由美常說：「潤哥哥，我爸爸說，等我將來長大了，要把這棵梧桐樹砍了作成一個櫃子，當我的嫁妝喔。你說好不好？」

他會高興地猛點頭，然後拿自己家種的柿子給她。

他們長大，結了婚。

梧桐作成的櫃子送進了他們的新房。

然後戰爭發生了，所有的青年男子都被徵召上戰場，他當然也不例外。

那一年他們還好年輕啊，甚至不到二十歲。

真由美看到徵召令的時候，眼淚馬上就掉了出來。

他們並不想要戰爭，但是戰爭卻不放過他們。

但是她能怎麼辦呢？

與操縱戰爭的那些人比起來，他們是多麼微不足道。

臨別前，他一直記得真由美拼命壓抑住淚水的模樣。

這是真正的生離死別啊！

誰知道他上了戰場之後，還有沒有機會回來？

他轉身要離去前，真由美突然衝了上來，抓住他的手不放。

忍了許久的淚水如泉湧而出，她抓著他的手，好緊好緊，緊得像是根本不想放開。

「潤一郎，潤一郎……你要活著回來……」

他的心在倘血，靈魂在哭泣，但身為男兒他不能露出任何怯懦害怕，不只是有失顏面，更重要的是，他的軟弱只會讓真由美更放不下心。

他也緊緊回握著妻子的手。

溼潤的眼默默無聲地看著她姣好的帶淚臉龐。

那是他愛戀了一輩子的女人。

「我會回來，妳等我，一起共度下半輩子。」

他的話語似乎給了真由美力量，她終於慢慢鬆開了手，對著他，露出心酸的笑。

淚水依然不停滑過她微微上揚的蒼白唇邊。

「你一定要回來，我等你。」

當遣送的列車進站的時候，火車站裡的人群騷動起來，原本就已經擁擠不堪的月台更是擠得水洩不通，空氣的流動充滿了急促的不安與慌張。

列車進了站，每一節車廂上都站了兩個魁梧的俄國兵，他們兇惡銳利的眼神在這群不安的人們身上來回游移著，像是獵人搜尋著獵物一樣。

當人們準備登上列車的時候，兇惡的俄國兵突然開始將青壯的男子與他們的家人扯開，帶到另外一個方向的月台。

許多頓失丈夫的女人先是驚愕，等到她們意識過來是怎麼回事的時候，只能眼睜睜地看著自己的丈夫們被推上另外一輛列車。

那是開往西伯利亞的列車。

松崎潤一郎見到這個情形，心一橫，原本想喬裝成女人瞞混過去，但眼尖的俄國兵發現了他，殘忍地用槍托幾乎將他整個下巴打碎，然後拖著滿臉鮮血淋漓的他走過地下道，往反方向月台走去。

那地下道簡直就像通往地獄的通道啊。

他嘴裡滿是血腥味，看著女人們哀求著、痛哭著，不斷拉扯俄國兵的身子，要他們放過自己的丈夫，但卻沒有一個成功。

有一個女人像是崩潰了似的，突然大喊一聲，接著便衝到鐵軌上打算臥軌自殺。

場面瞬間亂了起來，有人開始逃出月台，有人開始推擠，孩子尖銳的哭泣聲此起彼落。

俄國兵突然鳴起槍，車站外又湧入更多的俄國兵，這才總算把情況壓制下來。

當他被拖到對面的月台時，他看見了那個臥軌的女人正被兩個俄國兵毒打。

她沒有哭，也沒有叫，只是死死地趴在地上。

可是她內心的吶喊卻彷彿傳進了他的耳裡。

讓我死了吧！

讓我死了吧！

失去了所愛的丈夫，那我還活著做什麼？

她最終沒有臥軌自殺成功，而是被打昏後，由俄國兵給拖走了。

松崎面無表情地看著這一切，然後被推上了列車。

列車裡早已站滿了許許多多像他這樣只差一步就能回鄉的男人，站在狹小窗口附近的男人們幾乎都紅了眼眶，有好些早已泣不成聲。

這就是戰爭的意義嗎？

拆散一對又一對的夫妻與家人，上演一齣又一齣的人間悲劇。

這就是那些人想要的嗎？

他的身體裡面充滿了幾乎要爆炸的激動與憤怒，卻只能硬生生壓住，無法發洩。滿是血絲的眼裡閃著微微的水亮，他無法克制自己的身軀停止顫抖。

他真的回不去了嗎？

真由美，我真的再也見不到妳了嗎？

肉體上的疼痛，他並不以為意，但卻深刻地感受到自己的心在痛。

很痛很痛，痛到他彷彿可以當場就無聲這樣死去。

兩條鐵軌，兩列火車。

一列是開往西伯利亞，一列開往家鄉歸途。

當時間到了，火車就要啟動的時候，哭喊的聲音大了起來。

所有的聲音匯聚成一片巨大的音牆，籠罩住所有的人，讓人無法逃脫。

悲愴、不捨、痛苦、心碎、焦急、怨恨。

更多的卻是聲嘶力喊的叮嚀。

「活下去……一定要活下去……我等你……」

滿面淚痕的女人在對面的車廂上放聲哭喊。

「好好照顧自己……好好養大我們的孩子……告訴他，不要再讓戰爭製造更多的悲劇……」

擠在車廂裡的男人努力將手伸出窗子，對著月台上抱著自己兒子的妻子，流著淚大聲喊著。

松崎冷漠地看著這一切。

沒有人為他哭喊，也沒有人為他叮嚀。

他只有一個人，還是一個忍辱偷生的軍人。

他突然嫉妒起這些成雙成對的男女，隨後又為他們的別離而感到一絲絲幸災樂禍的慶幸。

憑什麼你們就能得到幸福？

不，你們都要和我一樣，嚐盡與心愛的人生離死別的滋味。

他的身子晃了一下。

列車要準備開動了。

站長站在兩條鐵軌的中央，雙手高舉。

兩列火車，兩個方向。

一列往西伯利亞，一列往日本歸途。

只要站長的手一揮，列車上所有的男男女女就會往相反的方向離去。

越離越遠，越離越遠，直到再也看不見為止。

可是他們的心啊，卻牢牢地牽扯在一起，又豈是如此就能扯斷的？

當站長吹下哨音，兩手落下的時刻，他就像個殘忍的劊子手，親手砍斷了在列車上所有人的希望。

可是那劊子手的眼裡也是淚。

他知道自己拆散了多少的家庭與愛人。

松崎看著對面往反方向駛去的列車車廂上，一張又一張滿是淚水的女人容顏，他的眼一花，每一個女人竟都是真由美。

她們在為他哭喊，在為自己不能與他團聚而懊惱，每一道由她們已經哭得沙啞的喉嚨裡發出的聲音，都化為真由美對他的叮嚀——

「潤一郎，潤一郎……你要活著回來……」

「潤一郎，潤一郎……我等你！我等你……」

「潤一郎……」

他發現自己的眼睛更花了，伸手一揉，竟是哭了。

一哭就不可收拾。

長這麼大，他第一次這樣絕望地哭泣。

「真由美——」

用盡所有力氣，伴隨著鮮血的吶喊。

他眼前一黑。

真由美死了。

十五年後，當他終於回到故鄉時，等待他的卻是這樣一個消息。

被冰雪摧殘了十五年的身子受不了這樣的打擊，他整個身子搖搖欲墜，幾乎當場就要昏死過去。

幸好第一次見面的兒子扶住了他。

真由美死了，留下一個兒子給他。

她是在兒子三歲的時候走的，也正好是日本投降的那一年。

他不知道自己是怎麼來到妻子的墳前，只見到妻子的名字被刻在了冰冷的墓碑上。

墓碑上還有這樣的一句話。

執子之手：「與子偕老」。

妻子曾經寫給他的家書上，也有這樣的句子。

那封信陪伴他度過最寒冷的冬日，如今靜靜躺在他的上衣口袋裡。

真由美的祖父是一個很有名的學者，畢生鑽研中國文化，真由美在耳濡目染之下，也曉得一些中國詩詞典故。

在那封信中，她說，這是中國詩經裡的典故，離家遠行去打仗的男人因為思念家室，卻又遲遲不能歸鄉而寫的詩。

男人憶起離家前，思及自己將可能永遠無法再與妻子相見，於是悲痛地執起了妻子的手，與她約定，我一定會回來，與妳一起變老，共度晚年。

然而男人說這誓言的時候，胸中卻是悲痛無比，因為他比誰都知道，這一去，就是生離死別，與妻子的誓言，怕是只有來生才能實現。

松崎看完信，想起了自己離家前，真由美衝了上來，緊緊握住他的手不放。

「我等你回來。」

她這樣說。

可是她卻先走了，留下自己孤孤單單一個人。

那麼他這十五年來的辛苦坎坷到底算什麼？

他是不是應該在得知日本投降的那一刻就切腹自殺，這樣說不定還能在天上與真由美相遇？

他覺得自己被拋棄、背叛，心中的悲痛摻雜著不解的憤怒。

妳怎麼可以就這樣丟下我，自己先走了？

氣憤讓他的眼淚阻塞在喉嚨間，一滴淚都流不出來。

從此他再也沒有哭過。

老人突然覺得好累。

刻意封閉的記憶瞬間湧上，他已經枯槁的腦細胞一下子無法承載這麼多的回憶。

筋疲力盡。

鬆垮的眼皮垂了下來，他低下頭，看見鋪在鐵道上的石頭。

他現在還是在氣著真由美吧？

但是她都已經離開了，自己也沒有發洩的對象，於是只有對自己賭氣。

一賭氣就賭了六十多年。

老人感覺到慚愧。

真由美都已經去世這麼久了，為什麼自己還放不開呢？

他看著自己乾枯的手，明白歲月已經讓他老去。

有些吃力地閉上眼，感覺到眼皮有些微微的刺痛。

這裡真是奇怪的地方呢。

然後他領悟到，自己只是用氣憤來代替對妻子無邊無盡的思念與不捨，因為這樣，他就可以理直氣壯地去責怪別人，而不用怪自己。

顫抖的唇無聲地唸出妻子的名字，他突然好想哭，就像在西伯利亞那許多刺骨的寒夜中裡，他對著無盡的黑夜而感到恐懼與憂慮，也曾經湧起想痛快哭泣的衝動。

在西伯利亞，他親眼見過有人承受不了壓力而發瘋，或是偷偷逃跑又被抓了回來槍斃，或是身體受不了酷寒而倒了下來。

一個接一個，他看見許多人在眼前死亡，但是他卻硬撐了下來。

只因為他一直告訴自己，一定要活下去，一定要活著回日本，因為真由美在等他！

他最心愛的女人在等著自己。

就是這樣的信念讓他熬了過來，真由美的愛讓他的生命至少還能保有一絲絲溫暖，讓他在寒冷的雪地中仍能活下去。

那一份愛，讓他活了過來。

遠遠地，似乎傳來了火車汽笛的聲音。

老人跳了起來，身子緊繃著。

聲音越來越近，越來越近，直到他真的見到了兩列火車，各自由相反方向緩緩駛來。

他感覺到自己的心跳加速，口乾舌燥。

這是怎麼回事？

難道是歷史重演嗎？

憶起了當年俄國兵的殘暴，他下意識地想要逃跑。

火車慢慢駛近，最終停了下來。

上面一個人都沒有，彷彿幽靈火車。

老人深呼吸一口，為自己壯壯膽子，反正都已經活到這把年紀了，什麼鬼怪亂神也嚇不到他。再說，在戰爭裡，什麼樣殘酷的場面他沒見過？

過了很久，火車都沒有動靜，空氣靜默得像是靜止了一樣，老人甚至可以聽到自己呼吸與心臟跳動的聲音。

然後，在那寂靜之中，有什麼東西突然破了開來。

「真由美——」

聲嘶力竭的喊聲，彷彿吼出了熾熱的血與淚。

老人整個人僵住。

那聲音不是他喊出來的，但他卻再也熟悉不過。

「真由美——」

隨著喊聲而來的，是一個男人的痛哭失聲。

他多想再看看他的妻子，多想再聽聽她溫柔的笑聲。

多想再執起她的手，一如在婚禮時那樣，然後對她說：「讓我們一起慢慢變老，讓我們一起共度餘生。」

老人的整個身體劇烈顫抖著，他當然認得那哭喊聲。

那是他年輕時最絕望的哭喊。

T3

戰爭無理又無情地改變了這個世界，還有被捲入的人們。

當松崎終於被放回日本的時候，同一批來的日本男人已經所剩無幾，差不多都死光了。

踏上歸鄉列車的那一刻，他見到車廂外刻了一行字——

「我們的幸福被剝奪，是因為我們去剝奪了別人的幸福。」

刻下這行字的日本人早已不知去向，也許已經屍埋雪裡，或是死在哪個集中營裡。

他看著這行字，感觸良多。

為什麼這個世界上會有戰爭？

為什麼人類要去剝奪別人的幸福？

難道他們對自己所擁有的不滿意嗎？

人類究竟要貪婪到什麼地步才肯罷休？

松崎低下頭，慢慢上了火車。

他習慣性地將手撫在自己的心口上。上衣的那兒有一個口袋，裡面有著真由美寫給他的家書。這是唯一剩下來的一封，其他的都在逃難時遺失了。

他要回日本了，終於要回日本了。

真由美一定還在等著他。

松崎只有一個兒子，他見到自己的兒子的時候，兒子都已經要二十歲了，雖然有著血脈關係，但父子兩人比陌生人還不如。

加上松崎回到日本後封閉了自己，幾乎足不出戶，也決口不談戰爭的事情，於是慢慢變成了別人口中的孤僻難相處的老人。

兒子結婚，生了三個兒子。

然後孫子們也陸陸續續結了婚，他與兒子，以及長孫一家人住在一起，依舊過著自以為與世隔絕的日子。

然後他有了曾孫女。

起初兒子想用「真由美」的名字替曾孫女取名，但被他強力否決。

兒子驚訝於他難得的激動，幾乎不用再多說什麼，馬上就妥協了。

「那，爸爸，可以請你為這個小女生命名嗎？」兒子必恭必敬地問。

在這個尊老的社會裡，家中最年長者的意見還是必須遵從的。

「和我沒關係。」老人生硬地回著。

「爸爸，她是你的曾孫女呢。」

「那又怎麼樣？」

「她長得很可愛，又喜歡笑，你看了一定會喜歡她。」

「我不想看她！」

他誰都不想看到！

兒子見勸說不成，只有默默退下。

對於這個父親，他從來都沒有了解過。

父親是不是真的很愛母親呢？

是因為母親的過世，所以父親才如此封閉自己嗎？

可是……都已經幾十年過去了，父親還是看不開嗎？

身為一個兒子，身為父親的下一代，沒有體驗過戰亂的他，其實並不了解父親對母親的愛，幾乎可以媲美人類對神祇一樣的愛。

在那遙遠的年代，人與人的性命隨時都可能不保，即使不是因為戰亂，也可能是因為貧困、飢荒以及醫療條件不良所引起的病痛。

人常常會不知道自己是不是能平安活到明天、下個星期、下個月，或是下一年。

所以應該好好把握今朝。

但那又是個保守的年代，人們很多話寧願深藏在心裡，一輩子也不願意說出口。

他們相信，對方會懂得自己的心意。

因為那是愛。

當人們真正相愛的時候，不需要言語，也不需要刻意的動作，自然就能感受到彼此豐沛的愛意。

那甚至能成為人活下去的希望。

而在那個戰亂貧困的年代，這樣的愛更是一種讓人能堅持到底的力量。

也許很多人無法理解這樣的愛，那是因為，那是不屬於現在這個年代的產物。

現代，或著說是這個科技文明的時代，人與人之間的距離像是拉近了，電話、電子郵件，甚至是網路視訊，讓人隨時能掌握朋友或親人的消息，但心之間的距離卻被拉得越來越遠。

電子郵件用文字傳達了訊息，電話用機械傳達了聲音，網路視訊甚至讓人「看見」了對方，可是那都是「不真實」的。

如果今天有人預先就寫好電子郵件、預先錄好電話內容，連網路視訊都可以依照想要的時間撥出，那你又怎麼知道，你所「見到」的那個人，此刻到底在做什麼？

太過方便的連絡方式，讓人們更容易操控自己想要營造出來的形象，於是你不知道什麼才是「真誠」，最後變得不知道要去相信什麼。

只有看到本人，才會覺得安心。

但是你怎麼知道，那個人是不是一轉身，就拿起口袋裡的手機，悄悄打給你不知道的那個情人？

現代人得到了便利，卻失去了更重要的東西。

那就是心。

一顆願意去相信的心。

以前的人出趟遠門，沒有飛機、車子可以坐，常常一趟來回都要三、四個月，甚至一年半載，誰知道途中會不會發生意外？

萬一身處亂世，盜匪猖獗，離家遠行後還能回來，基本上就是一種奇蹟。

在毫無訊息的等待過程中，如果不是願意去相信，誰能堅持下去？

當什麼都不確定的時候，只有彼此的心意是確定的。

相信這份愛不會變。

相信我一定會回來。

相信當我踏上故鄉的土地時，妳會站在家門口前，歡欣地流著淚來迎接我。

相信妳一定會等我。

雖然有些東西看不到，但不代表它並不存在。

只要去相信，它就會存在。

麻美從小就好動頑皮，不到兩歲，就開始在家裡四處探險，把在家帶她的奶奶累得團團轉。

她的雙親都要外出工作，爺爺即使退休了，但還是閒不下來，找了個博物館的義工，也是每天早出晚歸，於是家裡只有她和奶奶。

還有那個「脾氣古怪」的曾爺爺。

還不到兩歲的小娃兒哪懂得別人脾氣到底好不好，直到有天她闖進了那扇紙門後的神祕世界，第一次見到了自己的曾爺爺。

老人見到她也嚇了一跳。

在他已經枯槁的生命裡，他已經很久沒有見到這樣鮮嫩、充滿生機與希望的生命了。

麻美一點都不怕老人，半爬半跑地衝向老人，想要討一個擁抱。

但老人的反應是完全僵在原處，簡直不知道該怎麼辦才好。

他沒有抱過這麼小的孩子。

他連自己的孩子都沒有抱過，孩子就已經自己長大了。

小孩子軟軟的、暖暖的，伴隨著甜甜的咿咿呀呀的童音，讓人聽了心都溫柔起來。

老人的臉上瞬間出現一刻動容，但隨即又被憤怒掩上——

「月子！月子！把麻美帶走！」

他氣急敗壞地喊著，沒多久媳婦就把麻美給帶走了。

孩子離開後，他感覺到自己的身體上似乎還殘留著新生命快樂又愉悅的氣息。

他不是討厭麻美這個孩子。

他只是厭惡自己，居然在那一瞬間有想要摸摸那孩子細嫩臉頰的衝動。

想要感受新生生命的嬌嫩與活力。

他的心因此雀躍起來，但他隨即察覺到自己這樣的「失態」。

不，他不能這樣，他不能有任何愉快的感覺。

因為快樂與幸福已經並不屬於他。

麻美從小就不怕曾爺爺，這位大人口中「孤僻又脾氣暴躁的老人」。

小時候她三不五時就推開紙門，蹦蹦跳跳地跑進去家人都避之唯恐不及的陰暗房間裡，然後再很快樂地被一陣吼聲給罵出來。

對年幼的她來說，那就像是一種有趣的遊戲，而且她也覺得曾爺爺的兇惡其實不是針對自己，而更像是一種惱羞成怒。

在一個老人身上見到這種表情，真的是……挺有趣的。

只有一次，麻美是真的被老人的脾氣給嚇到了，而且被嚇得哭了出來。

那是在她剛上初中沒多久，歷史課本上講到了日本曾經「進出」中國的事情，她知道曾爺爺年輕的時候曾經到過中國，於是那天一下課，她就興高采烈地跑回家，想要問問曾爺爺，中國到底是個什麼樣的國家？

「曾爺爺，你以前去過中國對不對？哪裡好玩嗎？」

平常穩靜如山的老人，聽到這句話時全身不由自主地抖動了一下，他看著曾孫女的眼神透露著古怪。

然後這是第一次，他用那麼平靜的語氣問她：「好玩？妳從哪裡聽說，中國是個好玩的地方？」

麻美把自己的歷史課本遞給老人，只見老人越看越激動，最後竟然怒不可抑，動手想要撕毀那本書。

「啊！曾爺爺，不要撕啊！那是我的課本！」

麻美驚慌地想要阻止，卻被老人全然瘋狂的眼神給震攝住。

「這是不真實的歷史！日本是侵略的一方啊！我們到中國是去打仗的！打仗！妳懂嗎？拿著刺刀殺人砍人，佔領人家的土地，剝奪別人的幸福！是戰爭啊！是血淋淋的戰爭啊！」

像是瘋了的老人突然湧生出無比的力氣，一頁又一頁地將那本充滿謊言的歷史課本撕碎。

撕碎那些不敢面對歷史真相的人的嘴臉。

撕碎那些人企圖矇騙下一代的「教育」。

可恥，真可恥！

老人的眼裡佈滿了血絲，那股撕毀歷史課本的勁兒就像面對自己不共戴天的仇人一樣。

沒有參加過那場戰爭的人，憑什麼寫出這種東西？

這個世界變了嗎？

日本人不再有羞恥心了嗎？

耳裡突然傳來嗚咽的聲音。

老人剎那間回過了神，見到自己的曾孫女不知所措地蹲在紙門旁哭著，晶亮的大眼睛裡滿是恐懼。

怒氣突然消失了。

隨之而來的，是深深的愧疚感。

但不是對於麻美的愧疚感，而是對於因為戰爭而喪生的無辜中國人民，尤其是女人。

女人一直是戰爭裡的弱者。

「對不起。」

老人像是洩光了氣的皮球，坐在四散的紙片裡，喃喃地說著。

「對不起……對不起……對不起……」

他一直以為，自己在西伯利亞的那十五年，已經夠償還自己的罪孽了，但是他現在才領悟，自己在中國的所作所為，無論是花上多久的時間，都是不可能獲得原諒的。

因為他剝奪了別人的幸福。

所以他自己的幸福也被剝奪了。

「對不起……真由美……對不起……」

麻美忘了哭泣，只是驚愕地看著老人。

曾爺爺……哭了。

麻美的父母明年要調職到東京了，她也要跟著到東京去唸高中。過完這個暑假，她就要離開大阪了。

剛從朋友家回來的她，一進門就被奶奶喊住——

「麻美啊，去接曾爺爺回來好不好？」

「咦？曾爺爺出門了？」

這可能是媲美人類登上月球的大新聞喔。

「是啊，今天早上突然就一個人坐著計程車出去了，也不讓我跟著去。我實在很擔心哪……」奶奶拿出一張小紙條，上面寫了個地址，「我打電話去車行問到了這個地方，妳去看看好不好？他出去了這麼久都沒回來，實在是……而且又是那種地方……」奶奶滿臉憂心。

如果公公出了什麼事情，她該怎麼向丈夫交代？

而且還是去「那種地方」？

公公怎麼看都不像還有力氣能到「那種地方」去啊？

麻美很爽快地答應了。

老人覺得全身筋疲力盡，有種身體裡一直積壓著的什麼，終於被釋放出來的感覺。

不知道為什麼，他突然浮現一個念頭，今天晚上應該能好好睡一覺了吧？

他已經很多年沒有好好睡過一覺了。

不是無法成眠，便是被惡夢驚醒。

但是他從沒有告訴過別人，自己有失眠的問題，一如他從來不洩漏自己的心事，把自己偽裝得像顆頑固又堅硬的石頭。

他花了很久很久的時間，才慢慢站起來。

又花了很久很久的時間，找到了躺在碎石上的拐杖。

然後他慢慢離開了這個房間。

房門自動闔上的那一刻，他心裡湧上已經好久不曾體驗過的平靜。

走出酒店，他望見門口有一個嬌小的身影。

「曾爺爺。」

那是一個年輕的少女。

少女有著短短俏麗的頭髮，小巧美麗的臉蛋，笑起來的時候，左臉頰上方有一個淺淺的小酒渦。

「曾爺爺，你真的到這裡來啦？」

少女的眼睛微微睜大。

沒想到曾爺爺這個年紀的人，也會時興到這種愛情酒店。她從奶奶那兒知道這個地方的時候，還一臉不相信，以為奶奶是在開她玩笑呢。

真是神奇。

好想問問曾爺爺，他是和誰約在這裡呢？

難道是老情人？

麻美伸出了手，想要攙扶拄著拐杖的老人。

然後她在老人那總是剛毅又幾乎面無表情的臉上，見到如冰雪初融的溫柔與愛戀。

老人定定看著她，伸出微微顫抖的手。

淚眼朦朧中，老人見到了那個自己思念了六十多年的女人。

「曾爺爺？」

人類也可以長生不老，只是用著不同的方法。

那個方法叫做血脈。

為什麼他一直都沒有發現？

「真由美……」

他輕輕喚著，伸出枯瘦的手，握住了那隻白皙瑩潤的女人的手。

「曾爺爺，我是麻美啊。」

麻美歪著頭，不解地看著第一次這樣失態的曾爺爺。

「真由美……」

他緊緊握住那隻細嫩的手，眼淚掉了出來。

執子之手：「與子偕老」。

「我答應過的……我答應過的……我要回來……和妳一起共度餘生……真由美……」

原來妳沒有騙我。

原來妳一直在這裡。

若所有的流浪都是因為我

我如何能
不愛你風霜的面容

若世間的悲苦　你都已為我嚐盡
我如何能
不愛你憔悴的心

他們說　你已老去
堅硬如岩　並且極為冷酷
卻沒人知道　我仍是你
最深處最柔軟的那個角落
帶淚　並且不可碰觸

（席慕蓉，《傳言》）

遺忘勿語

No Room Is Avalible

松崎麻美，二十五歲，美國加州大學博士生

夏天，暑假。

來接機的是爺爺。

都已經快七十歲的人了，還是那麼硬朗。

「麻美，唸書辛不辛苦啊？」

爺爺一見到自己的孫女，便高興地迎了上去。

「辛苦！簡直累死了！我真想放棄學位不唸了！」

麻美依舊不改頑皮的個性，像個小孩子一樣對爺爺訴苦。

爺爺呵呵笑了起來，知道雖然這孫女老愛抱怨，但其實做起事來比誰都認真。不然那個從小就跌跌撞撞愛亂跑的小女生，怎麼一下子就變成了認真唸書的博士生？

等麻美畢業了，還說要到大學當教授呢！

爺爺的記憶裡出現了那個老愛傻笑的小孩子。

果然時間會改變一切。

麻美暑假特地回日本的大阪老家，是因為她收到了奶奶寄來的一封信：

「麻美啊，老家就要賣掉了，這幾天我們在收拾曾爺爺的東西，妳有空的話也回來幫忙收拾一下吧。記得他在世的時候很疼妳呢，來看看有什麼東西是妳想要的，就帶走吧。」

麻美當然記得曾爺爺，那個活了很久的老人。

在家人的印象裡，曾爺爺不過是個孤僻的老人，但只有她知道，老人的心裡藏著很多很多的祕密。

因為她看過老人哭泣，也看過老人微笑。

曾爺爺是在她到東京唸高中前去世的。

去世的前一天，她按照慣例，替老人送上餐食，當她把餐盤端進房裡的時候，聽見曾爺爺喚她的名字。

「麻美。」

「什麼事，曾爺爺？」

老人只是靜靜看著他，嘴唇微微上揚，竟像是在微笑。

「麻美。」

「嗯？」

「很好聽的名字。」

老人脾氣溫和，甚至慈祥的模樣，讓麻美心裡起了一種說不出的不捨。

「曾爺爺，您有什麼事情要交代嗎？」

她終於忍不住問。

老人只是搖搖頭，臉上似乎依舊在微笑著。

曾爺爺的身上有著很多祕密，但他最後選擇自己一個人帶走，不願意和人分享。

如果分享了，那就不是祕密了。

第二天，家人發現老人是在睡夢中安然而逝的，他的面容竟是那樣平靜，彷彿一點痛苦都沒有。

「啊，曾爺爺真的走了……」

想起昨天自己心裡浮現的不捨，麻美的眼眶紅了。

在她心裡，其實曾爺爺一直是個孤單又寂寞的老人，從她小時候開始，她就喜歡去找他，即使總是被轟出來，但她卻依然不氣餒，小小的孩子那時候就懂得去鼓勵那個老愛虛張聲勢的老人，讓他知道生命不該只侷限在那間陰暗的房間裡。

等她長大了，給曾爺爺送上餐飯便成了她的責任，她一點也沒抱怨過，總是快快樂樂地為老人送上精心調理的餐點。

老人很少說話，也很少喚她的名字。

她隱約知道，當初父母想為自己取名字的時候，徵詢過老人的意見，老人那時還為此大發了一頓脾氣。

真是頑固的老人啊……不過為什麼她就是不怕他，甚至還常常想多和他親近一些？彷彿上輩子，或是冥冥中，她和他有著一條看不見的線牽著。

曾爺爺的遺物很少。

幾件老舊但洗得很乾淨的衣物，一封信，還有一個梧桐木作成的木櫃，裡頭放了一些曾奶奶的遺物。

「麻美，這是梧桐木作成的櫃子呢，很耐用喔。你瞧，這櫃子從曾爺爺那代起一直用到了現在，還是這麼漂亮。將來等麻美出嫁了，把這櫃子當成嫁妝好不好？」奶奶笑咪咪地說著。

「嫁人？還早吧？現在都還沒對象呢？」

麻美訕訕地笑了笑，忍住想要吐舌頭的衝動。

她不喜歡為自己招惹太多麻煩，交男友或結婚這種困難的事情，還是等她唸完博士學位再說。

「其實妳曾爺爺的東西我們已經清掉了一些，這些是僅剩的了。」

奶奶嘆口氣，將那一封信交到麻美手上。

「從小妳就和他感情最好，這些東西，就讓妳決定去留吧？」

麻美看著那幾封信，又看看奶奶，後者用鼓勵的眼神要她打開那些信。

她慢慢展開那封信，那是曾奶奶寫給曾爺爺的家書。

年代久遠，又經過戰爭的洗禮，信紙變得又薄又脆，捧在手裡小心翼翼，深怕一不小心，就捏碎了這幾乎要被人遺忘的愛情記憶。

麻美的眼睛溼潤起來，她只隱約知道曾爺爺的故事，卻沒想到，他曾經擁有一份這樣深刻難忘的愛情。

一滴眼淚落在了信紙上，迅速渲染開來。

原本就脆弱的信紙終於再也承受不住，突然破成了兩半。

兩個女人驚呼一聲，想要去搶救，卻不知怎地手忙腳亂，把情況越弄越糟——

「啊！奶奶，不要扯——」

「啊！麻美，紙破了——」

「糟了！」

祖孫倆同時慘叫出聲。

信紙幾乎全毀了，片片落落地散了一榻榻米，慘不忍睹。

「曾爺爺如果還在，一定會罵死我們。」

麻美苦著臉說完，突然又輕聲笑了起來。

也許這是曾爺爺的惡作劇吧？

固執的老人不想讓人發現他也有純情的一面，於是趕緊跑回來，紅著臉把那些證據都摧毀了。

「奶奶，我們把這些都燒了吧。」

屬於老人的過去，就讓它成為記憶、成為祕密。

誰也不知道的祕密。

「咦？這是……」

麻美在泛黃的紙片中，發現一張名片。

「愛情酒店？啊！奶奶，我想起來了，我還沒到東京之前，有次被妳叫去愛情酒店把曾爺爺接回來耶！」

奶奶疑惑地問：「有嗎？」

「有啊有啊，那次是我記憶中，曾爺爺第一次踏出家門耶，我當然記得！」

而且她在酒店面前，還看見曾爺爺哭了。

那樣乾瘦的一個老人，哭得像是個孩子一樣，還一直捉著她的手，喊著「真由美」、「真由美」的。

「奶奶，真由美是誰啊？」

記憶力衰退許多的奶奶吃力地想著，總覺得這個名字好熟悉啊。

「真由美……嗯……想不起來耶。」

「算了，我去問爺爺好了。」

原來「真由美」是曾奶奶的名字。

麻美問爺爺，自己和曾奶奶長得像嗎？

爺爺想了半天，也說自己不太記得了，都那麼久以前的事情了，即使是自己的母親，面容也早已模糊。

為什麼爺爺會去那家不起眼的小酒店呢？

為什麼他一出來，就對著自己喊「真由美」呢？

他在裡面到底看見了什麼？

好想知道。

於是麻美帶著那張名片，在十年之後，重新來到那間酒店的面前。

即使過了十年，這間酒店還是一樣不怎麼起眼，像是十年來都沒什麼客人上門。

這樣不會倒閉嗎？

麻美好奇地走進去，大廳裡空無一人，只有一架房間販賣機。

「十萬日幣？天啊！這麼貴？」

這麼不惹眼的小酒店，住一晚要十萬日幣？

可是她實在好想知道，當年曾爺爺究竟在這裡看見了什麼。

咬咬牙，從皮包裡拿出錢來，先放入一枚一萬日幣的紙鈔，機器運作了一會兒，居然又把紙鈔給吐了出來。

這怎麼回事？機器壞了嗎？

不死心地又試一次，紙鈔還是被乖乖吐出來，像是被販賣機嫌棄一樣。

麻美正打算換上另外一張較新的紙鈔試試，突然有人出現了。

那是一個穿著黑色西裝、手上戴著白色手套的男人，看模樣像是酒店經理的人物。

「客人，十分抱歉耽擱您的時間。但是您現在還不是我們的客人。」男人露出微笑，又補充：「我們現有的服務，恐怕無法讓您滿意！」

「現有的服務？」

「是的。您還並沒有真正悲傷的記憶。」

「咦？悲傷的記憶？」

麻美不太懂這個人在說什麼。

「難道一定要有悲傷的記憶才能進來這家酒店？」

就像曾爺爺那樣？

曾爺爺最悲傷的記憶，就是曾奶奶嗎？

男人微笑地看著她。

「客人，您是個很幸福的人。您的一生當中儘管有過挫折，但卻不會讓您感到悲傷；即使您流淚了，但當眼淚流乾的時候，您又可以很快地重新站起來。您是一個堅強的人，這樣的您，並不需要我們的服務。」

基於尊重客人的隱私，男人並沒有點出最後一個事實。

那就是麻美並沒有談過戀愛，所以她不知道，什麼叫做悲傷的記憶。

世界上最悲傷的記憶莫過於是愛情，它太美、太多人想要，卻同時也傷人最重。

因為最幸福的東西消失時，便是最悲傷的回憶。

有的人，甚至一輩子都無法復原。

「真的不能通融一下嗎？」

「很抱歉，不行。」

男人對她深深一鞠躬。

「那……請問您可以告訴我，我的曾爺爺在裡面看見了什麼嗎？」

「很抱歉，這也是不行的。」

「為什麼？」

麻美不服氣。

不過就是酒店嘛，裡面有些什麼東西她還會不知道嗎？

「這牽涉到我們的商業機密，請您務必見諒。」

男人的態度恭謹，卻絲毫不肯讓步。

麻美嘆口氣，沒有繼續問下去。

雖然她不太懂男人說的話，不過她知道，自己今天是沒望進去酒店裡一探究竟了。有點失望呢。

「不好意思，打擾您了。」

她正要離去，一隻戴著白手套的手伸了過來。

「這是我們的名片，請您帶著。有機會的時候，可以把它給需要的人。」

「我已經有了你們的名片。」

麻美提醒他，不然她怎麼會找到這裡來？

「我知道。」男人像是早就摸透了她的想法，「我說過了，請在有機會的時候，把這張新名片，給需要的人。您原來的那一張名片，請好好留著。有一天，我們會很歡迎您再次前來，做我們的顧客。」

世間男女總要嘗上一回戀愛滋味的。

只要嘗了，就會想要來到這裡。

基本上這是穩賺不賠的生意。

麻美不好意思拒絕，只好收了下來。

男人在酒店門口再次行了一個九十度的鞠躬，然後退下。

麻美端詳著手上那張新名片，看起來和曾爺爺那張也沒什麼不一樣，只是背後又多了好幾家分店。

看來……這家酒店的生意似乎很不錯？

「有東京的分店啊……」

突然想起在東京唸高中時的同學，已經好久沒連絡了呢，不知道她們過得好不好？

拿起手機，撥通了號碼。

「喂？奈津子嗎？」

「請問您是哪一位？」

「我是麻美啊！我從美國回來了喔！」

「麻美？」

在驚嘆聲過後，突然便是驚天動地的號啕大哭。

「奈津子？奈津子？妳怎麼了？怎麼突然哭了？」

「麻美……嗚……我、我失戀了……嗚哇……我、我男朋友……不對！是那個該死的臭男人！他、他早就和別人搞在一起了……哇……我好難過……好痛苦……麻美……我快死了啦……」

一接到高中死黨的電話，不知道為什麼，一直隱忍的情緒終於爆發，電話那頭哭個不停，滿腹委屈，眼淚似乎都要透過手機滿溢出來。

「奈津子，別哭了，乖，只不過是失戀嘛，妳還年輕啊……」

麻美實在不知道該怎麼安慰失戀的女人，因為她還沒有談過戀愛，沒有體驗過那種生命裡的一部份被挖走後，那種痛撤心肺，痛得連覺也睡不好，只能聽見自己的心臟在不斷哀鳴的劇烈苦痛。

「妳、妳這個沒談過戀愛的女人……快點滾上東京來看我！不然我就要因為失戀痛苦而死了啦！」

奈津子毫不客氣地命令，麻美也只有乖乖聽話。

誰叫她們從高中起就是死黨？

一起上學、一起放學，連參加的社團都一樣。

麻美看了看手裡的名片，想起剛剛那個像酒店經理的男人的話。

「好好好，過兩天我就去東京看妳，順便告訴妳一個好玩的地方喔。」

雖然她也不知道那個地方到底好不好玩，不過奈津子這麼難過，應該很符合那個男人所謂的「要擁有悲傷的記憶，才能進到這家酒店」的條件吧？

「好玩的地方？有很多英俊的男人嗎？」

奈津子說完，自己又哈哈大笑起來。

又哭又笑，真是神經。

麻美搖搖頭，是不是談戀愛的人，都會這樣瘋瘋癲癲的？

「有，有男人，而且會是妳最想見的男人。」

她隨口回了一句。

如果到時候奈津子真的進去了，她一定要奈津子告訴自己，那酒店裡面到底有什麼神奇的地方？

奈津子將會看到的，是不是和曾爺爺所看到的一樣呢？

遺憾，
擱淺了未滿的愛情

也是那悲傷的，記憶嗎……

The End

後記 I

有了悲傷的記憶，所以成熟了？

所以應該多一點特權，多一點不同的想法和體驗。

曾經那麼的痛，痛到希望不曾開始過，眼見不能體會的人想要給他一點建議，但是心裡卻很明白，沒有走過的人，不曾累積疲憊，沒有眼見路旁的一草一木，沒有呼吸到空氣中的清新，說再多也不會明白的。

時間真的治療了一切？還是只是記憶漸漸淡忘？又或者是需要記得事情愈來愈多，不得已把過往的記憶掩蓋。重要的事情迭次出現，眼前的事情相對重要。

不過，真的是走過去了，慢慢的走過去。挫折、打擊、讓人改變，而生老病死之外，就只有感情最讓人深刻。

我真的愛過了。用力的愛過？不經意的愛過？痴心的愛過？無怨無悔的愛過？到了這時刻，其實已經不太在意，可能跟自我生命的成熟度有關吧，又或者人無遠慮必有近憂？當生命充滿了生存的壓力，就再也無法談情說愛了。

那很痛的過往，而我生存下來了，產生了改變。

在存活下來的時候，就是一種成長，無論如何，請好好享受人生的一切，享受獨一無二的自我的生命。要快速達到目標，還是漫步欣賞風景都是生命自由的選擇。

L

後記 II

如果你讀到了這裡，我猜，最令你動容的，應該是那位受過戰爭洗禮的固執老人。這段故事，啟蒙點是早年拜讀梅濟民先生所著之《牧野》一書中，《異國遺孤》這一篇中篇小說。小說中以中國人的觀點，描述日本戰敗後，日本僑俘與軍民的遭遇與心情，以及戰爭的醜惡。兩列火車分別往不同方向駛離的場景，讓當年的我看得震驚不已，淚水潰堤。一直以來，中日戰爭的描述裡，我們見到的幾乎都是殘暴的日本人虐殺無辜中國人的歷史，但是在這本書裡，梅先生用另外一個角度切入，深刻描寫在戰爭中的人們的矛盾，以及日本人戰敗後的徹底領悟。火車拆離有情人的這個畫面，一直深深烙印在心裡，在這次寫作的過程中，於是試著想要去猜想，在那列火車上的人，活著回到了家鄉後會是什麼樣的情景？

這個故事，也算是對寫出如此動人故事的梅先生的一種致敬。

如果你為那位老人感動，那麼我推薦你可以再去拜讀梅先生的《牧野》，除了《異國遺孤》之外，《五千公里雪山大逃亡》也是另外一個讓人讀了痛哭到不行的中篇小說，內容是敘述戰敗的日軍不願屈服，於是寧願冒死穿越大興安嶺雪山，在途中卻一個又一個地倒下，每一個人在瀕死之際，都深切地懺悔著自己的過錯與罪孽，即使是不可一世的大佐，也流下了懺悔之淚，切腹自殺。人之將死，其言也善，這些軍人的遺言，總是讓我熱淚盈眶，久久無法自己。

如果，你對這本書感到有些失望，那我要也說抱歉，因為也許你是抱著上一本《於是，上帝派來天使》的期待來看這一本書。我一直喜歡嘗試不同的題材，不同的寫作手法，也很感謝出版社能放任我這樣「試驗」，沒有因為上一本受歡迎，就硬逼著我一直寫同樣的題材。對於寫作，我一直很任性，只寫自己想寫的、喜歡寫的，而且還有時效性，當初寫作的心情如果沒了，稿子怎麼逼都逼不出來。（再逼下去我大概就會上演失蹤記了吧！）

總之，謝謝你看到這裡，下次再見。

Di Fer

國家圖書館出版品預行編目資料

遺憾，擱淺了未滿的愛情 ／ Di Fer 著. -- 初版，
-- 臺北市：春天出版國際，2006 - ［民95］
冊；　　公分. --（Di Fer 作品；1）
ISBN 978-986-7135-85-8（平裝）
857.7　　95020024

Di Fer作品 01

遺憾，擱淺了未滿的愛情

作　　者◎Di Fer
企劃主編◎莊宜勳
封面繪圖◎白蘿蔔
封面設計◎小美@永真急制Workshop
內文編排◎陳偉哲

發 行 人◎蘇彥誠
出 版 者◎春天出版國際文化有限公司
地　　址◎台北市忠孝東路四段303號4樓之1
電　　話◎02-2721-9302
傳　　真◎02-2721-9674
E-mail◎frank.spring@msa.hinet.net
郵政帳號◎19705538
戶　　名◎春天出版國際文化有限公司
法律顧問◎蕭顯忠律師事務所
出版日期◎二〇〇六年十二月初版一刷
定　　價◎199元

總 經 銷◎凌域國際股份有限公司
地　　址◎243 台北縣泰山鄉漢口街38號
電　　話◎02-2908-1100
傳　　真◎02-2908-1155
印 刷 所◎鴻霖國際事業有限公司

ISBN 986-7135-85-7
ISBN 978-986-7135-85-8
Printed in Taiwan

S P R I N G

每一本好書都是一顆種子，
春天播種在你的心田夢土上。

S P R I N G

每一本好書都是一顆種子，
春天播種在你的心田夢土上。

Spring